海外漢文古醫籍精選叢書·第三輯

2011—2020年國家古籍整理出版規劃項目

2018年度國家古籍整理出版專項經費資助項目

中國中醫科學院「十三五」第一批重點領域科研項目

——我國與「一帶一路」九國醫藥交流史研究（ZZ10—011—1）

蕭永芝◎主編

傷寒論繹解 叁

〔日〕柳田濟 注

10

北京科学技术出版社

海外漢文古醫籍精選叢書·第三輯

傷寒論繹解 叁

〔日〕柳田濟 注

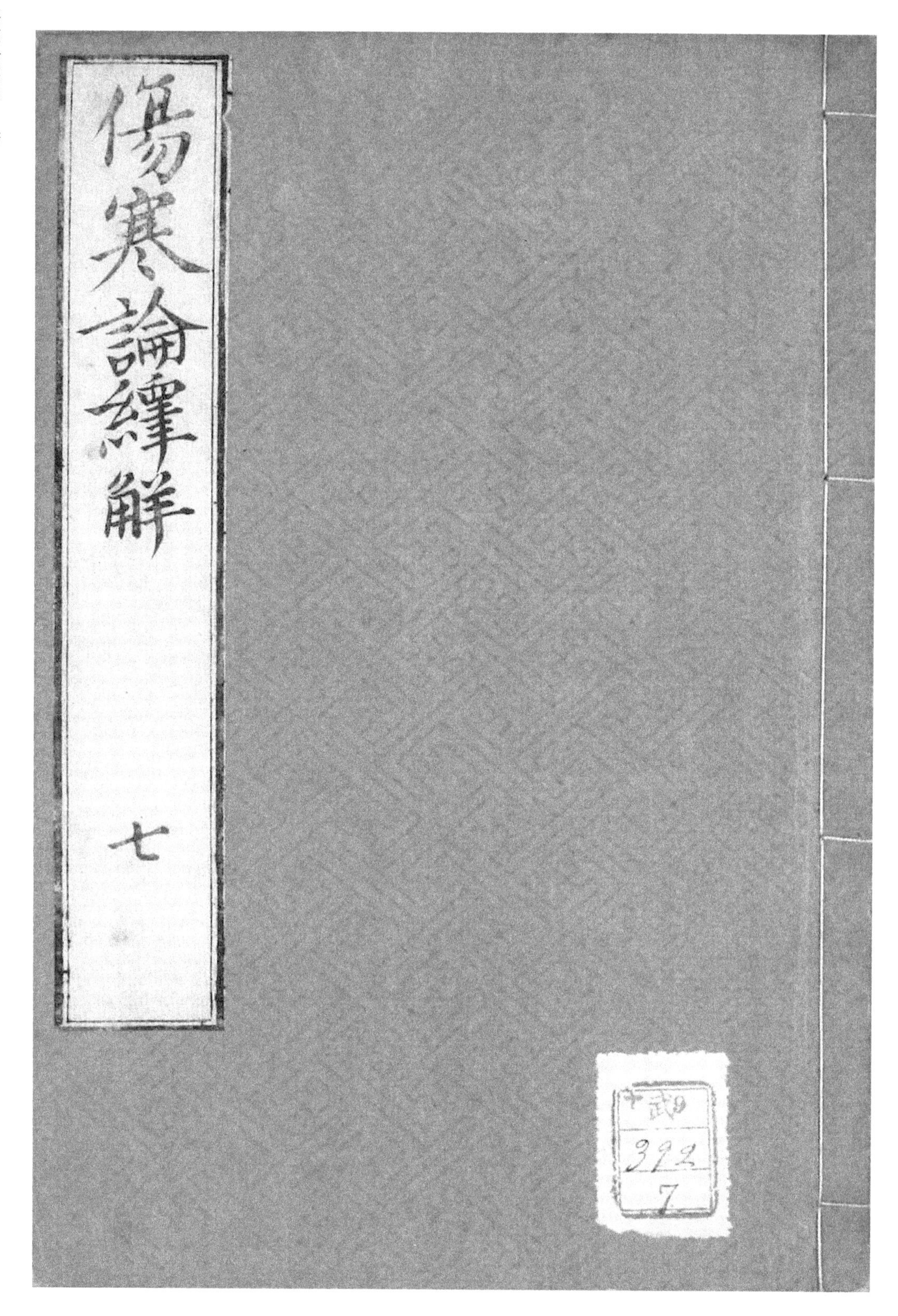
傷寒論繹解
七
十武9
392
7

陽明病。自汗出。若發汗。小便自利者。此爲津液內竭。惟忠曰。陽明之爲病。自汗出。爲其常也。既而自汗出。又或謂表未解。頻發其汗。則小便當自少。而今自利。小便自利。併其汗外馳。則內又何所蓄乎。故曰此爲津液內竭。雖鞕不可攻。當須自欲大便。宜蜜煎導而通之。導。藥從外入肛門內潤之。導出結糞惡物之術。若土瓜根及大猪膽汁。皆可爲導。汪琥曰。或問小便自利。大便鞕。何以不用麻仁丸。余答云。麻仁丸。治胃熱。屎結於回腸之內。茲者胃無熱證。屎已近肛門之上。直腸之中。故云因其勢而導之也。濟按論曰。大下之後。復發汗。小便不利者。亡津液故也。勿治之。得小便利。必自愈。此與是意同。而但燥糞梗塞於肛內者。不潤之則不便通。故導之也。

蜜煎方。玉函作蜜煎導方。

食蜜七合

右一味。於銅器內。微火煎。當須凝如飴狀。攪之勿令焦著欲可丸併手捻作挺令頭鋭大如指長二寸許當熱時急作冷則鞕以內穀道中以手急抱欲大便時乃去之疑非仲景意已試甚良字彙云凝冰堅也攪手動也焦傷於火也著附也捻指捻也挺直也鋭矛也抱引取也試用也良善也穀道肛門也諸本並無疑以下九字是

又大猪膽一枚瀉汁和少許法醋以灌穀道內如一食頃當大便出宿食惡物甚効成本有猪膽汁方四字無又字玉函無甚効二字按此篇目下云一方附又猪膽汁第二十下有猪膽方附注文見之則夫一方者即大猪膽汁方也土瓜根方闕附後方治大便不通生土瓜根擣取汁以水少解之筒吹入肛門內取通此宜取用

此章更明陽明病自汗出若發汗小便自利大便鞕者不可攻下之也論曰陽明病其人多汗以津

液外出胃中燥大便必鞕鞕則讝語小承氣湯主之今津液內竭大便鞕者似可攻下然自汗若發汗小便自利乃表邪既除而無胃實腹滿潮熱讝語等證則此唯津液內竭大便因鞕也故不可攻之當須津液復自欲大便既欲大便而結糞梗塞於肛道而難便通者宜蜜煎導從外通之若土瓜根及大猪膽汁皆可爲導千金翼以此章置于下陽明病脈浮無汗章後近是

陽明病脈遲汗出多微惡寒者表未解也 前陽明病脈遲章云汗多微發熱惡寒者外未解也而此曰表未解者欲專示表發也但擧惡寒不言發熱者陽明病者熱氣

延漫、而表未解者、發熱不俟言、可知故也、乃依彼章略之焉、惡寒者、表未解、為發汗之目的、故特舉之也、

可發汗。宜桂枝湯。雖表未解、然陽明病、以胃家實為主意、乃嫌不可汗、故曰可發汗、宜

桂枝湯、按方字闕、

桂枝三兩去皮　芍藥三兩　生薑三兩　甘草二兩炙　大棗十二枚擘

右五味。以水七升。煮取三升。去滓。溫服一升。須臾啜熱稀粥一升。以助藥力取汗。

此章言陽明病。脈遲。雖汗出。不惡寒者。此外欲解。可攻裏也。微惡寒者。微邪在於表。未解也。因可發汗。宜桂枝湯。夫陽明病脈遲章下。只云若汗多。微發熱惡寒者。外未解也。而不言其治方。是專論下

藥故也。乃今舉其方于茲，類聚以盡發汗之義。令勿餘蘊焉。

陽明病，脈浮無汗而喘者，陽明病脈浮，邪氣尚在於表。邪氣在表，而鬱閉甚則無汗。無汗則氣液不能泄於外，邪氣乃及裏，水液熱氣相搏，而發喘。故曰無汗而喘。不言發熱惡寒者，就前陽明中風章，發熱惡寒，脈浮緊，而係脈浮，折略之也。發汗則愈，宜麻黃湯。此亦嫌發汗，故曰發汗則愈，宜麻黃湯。

此承前章脈但浮無餘證與麻黃湯，而詳其證。且對上陽明病脈遲汗出多微惡寒者，舉脈浮無汗而喘之邪氣尚在於表鬱閉甚者，以辨桂枝麻黃之分。示陽明病亦邪氣在表者，不發汗則不愈之義而終表不解之一局。

陽明病發熱汗出者此爲熱越不能發黃也但頭汗出身無汗劑頸而還小便不利渴引水漿者此爲瘀熱在裏身必發黃。熱越謂熱氣發越也。茵蔯蒿湯主之方

茵蔯蒿六兩　梔子十四枚擘　大黃二兩去皮

右三味以水一斗二升先煑茵蔯。茵蔯氣味薄且爲主藥故先煑之。減六升內二味煑取三升去滓分三服。諸本皆分下有溫字是小便當利尿如皂莢汁狀色正赤一宿腹減。按上文不言腹滿今突然曰腹減者是言陽明中風章腹都滿得湯減也黃從小便去也。是言小便當利以下之所由也。

陽明病發熱汗出者此爲邪熱發越泄於外故不能發黃也是欲明發黃者先言其不能發黃之由也但頭汗出身無汗劑頸而還小便不利渴引水漿者此爲瘀熱在裏而不發越氣液相熏蒸壹逆上之所致故身必發黃因主茵蔯蒿湯以解瘀熱則氣液和逆氣降小便利尿如皂莢汁狀色正赤一宿腹減黃從小便去也或問曰此章當在後傷寒七八日身黃章下而舉之於此者恐錯簡答曰否此乃承陽明中風章云一身及面目悉黃小便難而爲論陽明發黃之所因及治方特舉於此也

夫傷寒七八日身黃以下則皆就此章而論傷寒發黃故又別為一類也。

陽明證。此以陽明胃家實之證具設論而悉舉其證則恐反失論畜血之本意故約曰陽明證也見下文云屎鞕可以知為胃家燥實矣其人喜忘者必有畜血。喜欣也悅也喜忘謂欣然能忘前言往事也是示忘之甚也畜血謂血畜積而不下也所以然者本有久瘀血故令喜忘。瘀血謂血瘀滯而不行也此言喜忘之所因也屎雖鞕大便反易其色必黑者。屎鞕則大便當難通而易故曰反張璐玉曰大便色黑雖曰瘀血而燥結亦黑但瘀血則黏如漆燥結則晦如煤王海藏曰初便褐色者重再便深褐色者愈重三便黑色者為尤重色變者以其火燥也如羊血在日色中須臾變褐色久則漸變而為黑色即此意也濟按今欲辨知瘀血燥屎則取屎浸之水盆中見血色者是瘀血也宜抵當湯下之方。

水蛭熬 䖟蟲去翅足熬各三十箇 大黃三兩酒洗

桃仁二十箇去皮尖及兩人者

右四味以水五升煮取三升去滓溫服一升不下更服

此承前章陽明病下血讝語而論陽明病胃實熱氣動久瘀血令喜忘者也陽明證其人喜忘者必有畜血若熱結新血血瘀而不行者必發狂熱動血而下者讝語故直繹喜忘曰所以然者本有久瘀血素問八正神明論云血氣者人之神不可不謹養靈樞平人絕穀云血脈和利則精神乃居故

神者。水穀之精氣也。調經論云。血并於下。氣并於上。亂而喜忘。此言有久瘀血者。氣血離居。心神虛耗。亂而喜忘也。蓋氣液者。從腠理而行。血液者。隨經絡而行。今熱動久瘀血。血隨經絡。流滲於腸中。燥屎得血。血與糞并而潤下。乃屎雖鞕大便反易。其色必黑者。是雖燥屎除。血猶畜而不下。因不可與承氣湯。此瘀血不下不治。故曰。宜抵當湯下之。又按論中。動並論發黃瘀血何。蓋發黃瘀血俱從邪熱瘀鬱於裏得之。而熱熏津液者。致發黃。熱與血相搏者。爲瘀血。因並論以諭熱熏津遂及血也。

陽明病下之。心中懊憹而煩。胃中有燥屎者。可攻。按胃中有燥屎者。當有不大便。腹滿不能食等證。而不言者。相照于腹微滿。初頭鞕後必溏。以省略之也。腹微滿。初頭鞕後必溏。不可攻。若有燥屎者。宜大承氣湯。既曰有燥屎者。可攻。然又言不可攻者。故重曰若有燥屎者。以可決宜大承氣湯攻下之也。

此承前梔子豉湯章。而論下之其證不全除。有燥屎者。初頭鞕後必溏者。辨可攻不可攻之疑途也。故不曰下之後。言陽明病下之。心中懊憹飢不能食。但頭汗出者。此虛煩也。心中懊憹而煩。胃中有燥屎者。實煩也。可攻之。腹微滿。初頭鞕後必溏者。是胃中不和。水穀不別也。乃不可攻。若有燥屎者。

雖下後不可餘藥。宜大承氣湯。金鑑云。程知曰。便鞕與燥屎不同。便鞕者。大便實滿而鞕。燥屎者。胃中宿食。因胃熱而結。爲燥丸之屎也。故便鞕猶有用小承氣者。若燥屎則無不用芒消之鹹寒也。

病人不大便五六日。繞臍痛。煩躁發作有時者。字彙云。繞纏也。圍也。正珍曰。發作有時。以發熱言。此有燥屎。故使不大便也。

此對前章胃中有燥屎而論燥屎在於腸間繞臍痛者也。按繞臍痛者。他病亦有之。故先曰不大便五六日。後曰煩燥發作有時。以斷燥屎在腸間。爲痛之由也。蓋胃中有燥屎者。不能食。燥屎在腸間而胃中無病。當能食。能食而不大便。五六日。繞臍痛。煩躁發作有時者。穀氣與燥屎相搏。氣爲之鬱滿。則激動發煩躁。鬱熱散則休。復鬱而發也。雖穀氣下流。大便爲燥屎不通也。故明其所因。曰此有燥屎。故使不大便也。張思聰曰。不言承氣湯者。省文也。上文云若有燥屎者。宜大承氣湯。此接上文。而言此有燥屎。則亦宜大承氣湯明矣。此說未允當。此不定爲大承氣湯之所宜。故不必言也。

病人煩熱汗出則解。又如瘧狀。日晡所發熱者。屬陽明也。脈實者。宜下之。脈浮虛者。宜發汗。錢潢曰。謂之浮虛者。言浮脈按之本空。非虛弱之虛也。若虛弱。則不宜于發汗矣。下之與大承氣湯。發汗宜桂枝湯。

此依上汗下數章。而辨承氣桂枝之疑途也。病人煩熱汗出則解。是就前章煩躁。而言煩熱。煩熱者。熱氣將表發而煩。故汗出則解。論曰。欲自解者。必當先煩。煩乃有汗而解。此之謂也。此爲言如瘧狀。先爲一案也。又如瘧狀日晡所發熱者。屬陽明也。是又就前發作有時。而言如瘧狀。日晡所發熱也。言邪熱專發於表。煩熱汗出則將解也。又如瘧狀。日晡所發熱者。雖似煩熱。此邪熱旣湲於裏。故爲屬陽明也。雖屬陽明。其熱不潮。則尚有宜發汗者。論曰。其熱不潮。未可與承氣湯。若斯唯以其見證辨別汗下難矣。因驗之于其脈狀。脈實者。虛之反。極有力也。是邪氣實於裏也。乃宜下之。先云下屬陽明故也。其脈浮虛者。浮爲在表。邪氣在於表。未實也。乃宜發汗。下之與大承氣湯。發汗宜桂枝湯。此與傷寒不大便六七日。頭痛有熱章同。而彼則以小便清濁。論邪熱之所在。此以脈定汗下治方。互盡其義也。

大下後。六七日不大便。下後、六七日不大便也。故先舉日數。煩不解。此對心中懊憹煩而言下後邪熱不全除而有宿食乃煩續不解也腹滿痛者。此有燥屎也。宿食爲熱燥結氣鬱閉而實胃因腹滿痛也故曰此有燥屎也所以然者。本有宿食故也。此言大下後成燥屎所由本非亦不下之前謂成燥屎之本也宜大承氣湯。

此承前陽明病下之。而更論經下其證除者。故單曰大下後也。言大下後六七日不大便煩不解腹滿痛者。此有燥屎也。蓋大下其證除者。應不有燥屎。而有之者。是本有宿食。而不大便。乃爲餘熱。再燥結也。即陽明病下之。心中懊憹而煩胃中有燥屎者之類證也。仍宜大承氣湯再下之矣。又按程應旄曰。煩不解。指大下後之證。腹滿痛。指六七日不大便後之證從前宿食經大下而棲泊於廻腸曲折之處胃中尚有此故煩不解久則宿食結成燥屎擋住去路新食之濁濊總畜於腹故滿痛下後亡津液亦能令不大便然煩有解時腹滿不痛可驗此說雖亙微細未允當何則宿食者食穀停滯於胃中而不爲化輸滋養反傷胃氣乃爲之病毒因病宿食者輒吐下以除之矣今此大下則有宿食亦當除焉若夫說從前宿食經大下而棲泊於廻腸曲折之處胃中尚有此故煩不解久則宿食結成燥屎則此當不能食論曰下利不欲食者

有宿食也。又曰。反不能食者。胃中有燥屎也。言胃中有宿食燥屎者。不能受食也。然胃中尚有宿食不大便。結成燥屎者。豈有新食之濁穢畜於腹。而滿痛之理耶。今驗之于事實。有病胃家熱實者。下之病新差。則裏氣和通。而思飲食。乃强與之。胃氣尚弱不能消穀。裏氣爲宿滯壅塞。而復生熱。餘邪宿食相結。爲燥屎。遂至腹滿痛。煩悶欲死。卽是也。成無己曰。大下之後。則胃弱不能消穀。至六七日。不大便。則宿食已結不消。故使煩熱不解。而腹滿痛。是知有燥屎也。此說得矣。如程注。則紙上之空論。而未得實詣也。

病人小便不利。此言由水氣不分利致變者。故先舉小便不利。大便乍難乍易。時有微熱。喘冒一作息。不能臥者。惟忠曰。謂熱沉實于裏不得浮越。但時時微發于外也。喘冒不能臥者。謂喘息昏冒不得臥寐也。是喘冒水熱相搏毒氣逆行之所致。乃臥則逆氣喘冒甚。故不能臥也。有燥屎也。宜大承氣湯。

此依前章屎雖鞕大便亙易。而論大便乍難乍易。有燥屎者也。病人大便鞕則小便當自利。而不利者。由下焦氣化不行。膀胱不利所致。大便乍難乍易。邪熱陷於腸間。既成燥屎。今又因小便不利。水飲停畜。時下流欲泄。乃新屎得潤。大便乍易。而燥屎不動乍難也。此猶有疑無燥屎而微熱喘冒不能臥者。停水亦爲燥結。不得快利。與鬱熱相搏。毒氣上逆也。此不下除燥屎則膀胱氣亦不得和通。故斷曰有燥屎也。宜大承氣湯。卽少陰病。自利清水。色純青。心下必痛。口乾燥者。可下之。宜大承氣湯之類。若斯宜審脈證腹候。而後行攻下也。不爾則反傷損正氣。而致卽斃焉。以上六章。論諸有燥屎之異證。以令後學勘合之矣。

食穀欲嘔。屬陽明也。吳茱萸湯主之。食穀欲嘔者。不食則不嘔也。得湯反劇者。屬上焦也。湯。卽吳茱萸湯也。反劇。謂吳欲治嘔。而反甚不止也。

茱萸湯方

吳茱萸洗一升　人參三兩　生薑六兩切　大棗十二枚擘

右四味。以水七升。煑取二升。去滓。溫服七合。日三服。

此承前陽明病脇下鞕滿。不大便而嘔。而論之也。邪熱迫於胃家。其人本有寒飮。因食穀則穀氣與鬱熱相搏。觸動寒飮毒氣。逆欲嘔。故爲屬陽明也。論曰。傷寒嘔多。雖有陽明證。不可攻之。今此雖屬陽明。不可下者也。仍主吳茱萸湯。以解寒飮降逆氣。則熱散嘔從止矣。金匱要略云。嘔而胸滿者。茱萸湯主之。宜併考。若得湯反劇者。是因胸脇之伏熱。爲湯激發所致。故爲屬上焦也。卽小柴胡湯證。而不言者。依陽明病脇下鞕滿章。折略之也。此爲辨別柴胡呉茱萸之嘔證。示其病毒之所在也。以上五章。類屬陽明者也。故置之於此篇。

太陽病。寸緩關浮尺弱。按詳分寸關尺言脈狀者、恐係後人之所補添。其人發熱汗出。復惡寒。不嘔但心下痞者。此以醫下之也。對前章嘔、曰不嘔、以先論裏無熱、此與中篇云心下痞、而復惡寒、汗出者對應、但彼由心下痞而見表證、此邪氣尚在於表、因誤下、客氣逆、故先表證後裏證、論曰、傷寒大下後、復發汗、心下痞、惡寒者、表未解也、不可攻痞、當先解表、表解乃可攻痞、解表宜桂枝湯、攻痞宜大黃黃連瀉心湯、是此類也、乃治方亦宜準之矣、如其不下者。病人不惡寒而渴者。此轉屬陽明也。

此就上誤下而邪氣尚在表而言不經下而邪氣進熱氣加因轉屬陽明者是此章之主意上曰其人此曰病人是異文耳不惡寒與上惡寒反對示表已解渴者之者字是約上不惡寒而渴五字直接下此轉屬陽明也即不惡寒而渴不惡寒而渴者此轉屬陽明也之略言此文法本論中多矣不爾則文義不穩玉函作若不下其人復不惡寒而渴者此文義似易解矣論曰傷寒脈浮發熱無汗其表不解不可與白虎湯渴欲飲水無表證者白虎加人參湯主之是此之類也按此證之治方屬白虎加人參湯

小便數者。大便必鞕。不更衣十日。無所苦也。渴欲飲水。少少與之。但以法救之。

此就上文不惡寒而渴者此轉屬陽明更言太陽病初發汗令中又小便數乃外邪已除但胃中乾大便鞕渴欲飲水者也無所苦者謂無腹滿鞕痛等證也以法救之中篇太陽病發汗後章下云欲得飲水者少少與飲之令胃氣和即是也論曰陽明病自汗出若發汗小便自利者此為津液內竭雖鞕不可攻當須自欲大便宜蜜煎導而通之是此類也按此大便鞕亦屬蜜煎

渴者。宜五苓散方此對上小便數渴欲飲水者申明外邪不解小便不利渴者之治方也。又太陽病發汗後章下云。若脈浮小便不利微熱消渴者。五苓散主之。今此但曰渴者。卽依彼章略也。

猪苓去皮　白朮　茯苓各十八銖　澤瀉一兩六銖　桂枝半兩去皮

右五味。爲散。白飲和。服方寸匕。日三服。

此自太陽病發汗後大汗出。胃中乾。煩躁不得眠章來。而論之。故冒首太陽病。今脈緩浮弱。其人發熱汗出。復惡寒。不嘔。但心下痞者。雖邪氣進及裏。此以初發汗表不解。而醫誤下之。故胃中虛。容氣上逆之所致。而尚專於表者也。如其不下者。病人不惡寒。而渴者。發汗不解。邪氣進於裏。熱氣加之所致。故此爲轉屬陽明也。小便數者。大便必鞕。是雖似陽明裏實。此發汗外邪已除。但胃中乾之所致。故不更衣十日。無所苦也。乃渴欲飲水者。不可攻之。少少與飲之。但以法救之。若脈浮小便不利。微熱消渴者。發汗不解。邪熱及下焦。膀胱氣不和故也。因爲五苓散之所宜矣。蓋夫渴者一也。然其證治之別。有如此者。不可不審辨矣。

脈陽微。而汗出少者。爲自和（一作如）也。汗出多者。爲太過。

成無己曰。脈陽微者。邪氣少。汗出少者。爲適當。故自和。汗出多者。反損正氣。是汗出太過也。
陽脉實。因發其汗。出多者。亦爲大過。太過者。爲陽絕
於裏。亡津液。大便因鞕也。出多上略汗字。
此對前章脉陽微。不因發汗。汗出多者。爲太過而
言。陽脉實。當發汗。因發其汗。汗出多亦爲太過。及
太過者。致大便鞕之所由也。成無己曰。陽脉實者。
表熱甚也。因發汗。熱乘虛蒸。津液外出。致汗出太
過。汗出多者。亡其陽。陽絕於裏。腸胃乾燥。大便因
鞕也。

脉浮而芤。浮爲陽。芤爲陰。浮芤相搏。胃氣生熱。其陽

則絕。春暉曰胃陽失津液變成熱則其陽化之用絕

此申明脈浮而芤胃氣生熱其陽絕之脈義也言浮者陽氣浮越於外之象故爲陽芤者浮之中空陰氣微於內之象故爲陰今浮芤相搏胃氣燥不得宣通鬱而生熱其陽則獨浮散而絕所謂無根失守之陽也

趺陽脈浮而濇浮則胃氣强濇則小便數按辨脈篇云趺陽脈浮而濇故知脾氣不足胃氣虛也今此云浮則胃氣强何也蓋彼就下利而言故係正氣奪曰虛此依大便鞕而言故係邪氣盛曰强也可以知矣浮濇相搏大便則鞕其脾爲約。

麻子仁丸主之方一名脾約丸

麻子仁二升 芍藥半斤 枳實半斤炙 大黃一斤去皮

厚朴一尺炙去皮玉函作一觔 杏仁一升去皮尖熬別作脂玉函作一觔

右六味。蜜和丸。如梧桐子大。飲服十丸。日三服。漸加以知爲度。成本。作右六味。爲末。煉蜜爲丸。桐子大。傷寒論輯義云。按本草序例。厚朴一尺。無攷。醫心方。引小品方云。厚朴一尺。及數寸者。厚三分。廣一寸半爲準。濟按漸加以知爲度。言先食服十丸。而無效。漸加增服。以見功驗則止服也。正珍曰。麻仁丸。疑非仲景之方。厚朴一尺。枳實半斤。杏仁一升。煉蜜和丸。皆非本論文法也。外臺引古今錄驗。而不引傷寒論。亦可以徵矣。

此依前章大便鞕。而明趺陽脈浮而濇。小便數。大便鞕。脾約之治方也。成無己曰。趺陽者。脾胃之脈診。浮爲陽。知胃氣強。濇爲陰。知脾爲約。約者。儉約之約。又約束之約。內經云。飲入於胃。遊溢精氣。上輸於脾。脾氣散精。上歸於肺。通調水道。下輸於膀胱。水精四布。五經並行。是脾主爲胃行其津液者也。今胃强脾弱。約束津液。不得四布。但輸膀胱。致小便數。大便難。與脾約丸。通腸潤燥。濟按右四章。依太陽病寸緩關浮尺弱章。論汗出多。或發汗太過。或胃氣鬱生熱。及小便數。大便鞕者也。然皆主脈義。而說其病理者。疑非仲景氏之舊論。但於麻子仁丸方。則宜考其藥能。隨其病證。以用之矣。

太陽病。三日。發汗不解。蒸蒸發熱者。屬胃也。惟忠曰。蒸蒸。對翕翕言其如有根基也翕翕如無根基然此其別也調胃承氣湯主之。

此自太陽病三日已發汗章來且承太陽病寸緩關浮尺弱章故曰三日發汗不解也此發汗不解則雖蒸蒸發熱猶有嫌外邪不除故直曰屬胃也蓋太陽病三日發汗不解蒸蒸發熱者津乾熱加而徑實於胃裏熱蒸發也便調胃承氣湯主之以除下熱實救其急矣若夫太陽病寸緩關浮尺弱章下云病人不惡寒而渴者則雖邪熱入裏盛未至胃實故曰屬陽明也論曰發汗後惡寒者虚故也不惡寒但熱者實也當和胃氣與調胃承氣湯。

是與此章意同。則但蒸蒸發熱。而不惡寒也。可知矣。唯彼依寒熱。辨虛實。此以蒸蒸發熱。知屬胃也。

傷寒吐後。腹脹滿者。與調胃承氣湯。

此承傷寒若吐若下後不解。及前章。而申明傷寒吐後。致調胃承氣湯證者也。前章及此章所論。並邪熱內實。而彼太陽病發汗不解。故蒸蒸發熱。此傷寒吐後。故腹脹滿也。吐後腹脹滿者。邪熱加徑實於胃。乃腹氣鬱閉。暴脹滿也。故爲一時救其急。與此湯。以下之。若夫傷寒若吐若下後不解。則不大便五六日。上至十餘日。因循失下。遂至循衣摸

牀。惕而不安之危篤。是故欲令不失其機用而補
出此章以盡其意焉。又按論曰。發汗後腹脹滿是
與此均腹脹滿而自有虛實之分。何則彼邪氣在
於表。乃發汗其證除後。餘邪入裏腹氣爲之不和
通。因致腹脹滿。按之濡而不痛。此爲虛。所以主厚
朴生薑半夏甘草人參湯也。此邪氣入在於胸中。
乃吐之其證除後。邪熱徑實於胃。腹氣爲之鬱閉。
因致腹脹滿。按之堅而痛。此爲實。所以與調胃承
氣湯也。論曰。傷寒下後。心煩腹滿。臥起不安者。此
亦類上二證。而是邪氣既內實。乃下之其證除後。

餘邪逆於心胸腹氣不和之所致此爲虛煩所以梔子厚朴湯主之也

太陽病若吐若下若發汗後微煩小便數大便因鞕者與小承氣湯和之愈所謂微和胃氣勿令至大泄下之意

此亦承前章而論太陽病若吐若下若發汗其證除後微煩小便數胃中燥大便因鞕者是大類蜜煎導證而彼雖大便鞕無所苦故曰不可攻之此餘邪尚存而微煩故曰與小承氣湯和之愈又按此證而脾胃燥甚腹裏拘急者宜麻子仁丸

得病二三日脈弱此無太陽柴胡證又不始爲陽明病故曰得病也傷寒論輯義云脈

弱。非微弱虛弱之弱。蓋謂不浮盛實大也。無太陽柴胡證。太陽柴胡證與云太陽桂枝證意同。即謂太陽病。變致往來寒熱。胸脇苦滿等證也。方有執曰。太陽不言藥。以有桂枝麻黃之不同也。少陽言藥。以專主柴胡也。凡以此爲文者。皆互發也。非是。煩燥心下鞕至四五日。雖能食。以小承氣湯少少與微和之。令小安。正珍曰。少少者。不過三四合之謂。對一升而言也。惟忠曰。既曰少少。復曰微和。曰令小安。互覆戒其不可大攻也。至六日。與承氣湯一升。即小承氣湯也。此依小承氣湯。略言之也。若不大便六七日。小便少者。雖不受食。一云。不大便。濟按千金翼。作不大便。非也。玉函作不能食。是也。但初頭鞕。後必溏。未定成鞕。攻之必溏。須小便利。屎定鞕。乃可攻之。宜大承氣湯。

此章繫日數。以明邪氣之淺深。候小便多少。以察大便之鞕溏審辨其治法也。言得病二三日。則邪氣尚在表。脉當浮緊而弱。弱者。邪氣及裏。而熱未盛也。乃應見太陽柴胡證。而無太陽柴胡證者。雖二三日。邪氣既湊於裏而鬱結。因卒致煩躁心下鞕。蓋邪熱實於胃者。當不能食。今未熱實。乃至四五日能食。雖能食。以煩躁心下鞕之急。故以小承氣湯少少與。微和之。令煩躁小安。須至六日。邪熱實。與小承氣湯一升以治之矣。若不大便六七日。小便少者。雖邪熱盛實不能食。以水氣不分利。故大便初頭鞕後必溏。未定成鞕。攻之必溏泄。而內虛邪氣不除。而至危篤矣。須水氣分利。小便利。屎定鞕。乃可攻之。宜大承氣湯。又按此章復以大便初頭鞕後必溏。屎定鞕。辨大小承氣功用者。總結前陽明病潮熱。大便微鞕者。可與大承氣湯。不鞕者。不可與之。及可攻不可攻之義焉。因下更論可急下者。盡大承氣湯證。

傷寒六七日。目中不了了。睛不和。字彙云。睛目睛。金鑑云。火上熏於目。而眸子朦朧。爲之不了了也。此熱結神昏之漸。危惡之候也。睛不和者。謂睛不活動也。惟忠曰。此蓋不始在於表。而專在於裏。專在於裏。而不似其太甚者。不似其甚者。而最太甚者也。纔見之於目中不了了焉。所以舉以先之也。無表裏證。此邪氣閉塞。表裏隔絕。而正邪不搏擊。故不見表裏證也。乃與前章云無太陽柴胡證病機相類大便難與前章不大便六七日相應身微熱者此為實也以上證大似虛寒然大便難身微熱者非虛寒此邪熱結實於胃家故也急下之宜大承氣湯惟忠曰熱已實於裏之太甚外似緩而內已急故急之纔可及而緩則必不及故曰急下之急下之對前章少少與微和之令小安之緩也

此承傷寒四五日脈沈而喘滿及前章之義且相照于傷寒六七日結胸熱實以論可急下者也蓋傷寒六七日邪氣在裏之時也然而今目中不了了睛不和外既無發熱惡寒之表證內又無譫語腹滿等裏證大便難身微熱者是邪氣劇烈忽實於胃家胃氣鬱閉不通表裏隔絕熱氣伏損耗血

液毒氣壹升騰精神不得上注於目之所致因不速下除之則精氣竭死矣故曰急下之宜大承氣湯熱病篇云目不明熱不已者死此之謂也

陽明病發熱汗多者急下之宜大承氣湯。一云大柴胡湯

此對陽明病脈遲汗出多微惡寒者表未解也可發汗宜桂枝湯而論之也蓋雖陽明病本以感外寒故脈遲熱氣未盛實苟惡寒不罷者爲表未解之診今發熱汗出者似表未解而不惡寒者表解邪熱實於胃也此以發熱汗多爲急證者熱氣盛延漫於表裏津液亡而熱實故也乃與太陽病以

發熱汗出。爲緩證自異矣。又按前章。言胃氣鬱閉。表裏隔絶者。此章言發熱腠理疎開。津液脫出。汗多者。如斯雖外證大異。於邪熱實胃家精氣將竭之危篤。則一也。故並論以示可急下也。

發汗不解。此單曰發汗不解者。承前陽明病。發汗也腹滿痛者。急下之。宜大承氣湯。

此承陽明病脈浮。無汗而喘者。發汗則愈。及前章。而更論發汗不解之急證也。言陽明病脈浮。無汗而喘者。邪氣尚在於表。宜發汗。而熱氣既湊於裏者。苟誤發汗。則徒氣液亡。邪熱不啻不解。忽致內實矣論曰傷寒四五日脈沉而喘滿沉爲在裏而反發其汗津液越出大便爲難表虛裏實久則譫語又曰太陽病三日發汗不解蒸蒸發熱者屬胃是此之類也而今此陽明發汗不解腹滿痛者邪熱劇烈致實滿也因不速拔邪實則精氣脫而至不可救故急下之也又此與厚朴生薑半夏甘草人參湯證云發汗後腹脹滿類而有劇易之分宜彼是相照見更知陽明發汗可切愼焉以上三章所論病形皆似緩而最急者也不可不審察矣

腹滿不減減不足言此熱實故腹滿甚而不減也時減復如故爲寒熱者按之則堅

而痛。乃實也。寒者濡而不痛。乃虛也。或爲既下之而不減者。非是。喻昌曰。減不足言四字。形容腹滿如繪。見滿至十分。即減去一二分。不足殺其勢也。當下之。此比前章腹滿痛之急劇。則病勢稍緩。故曰當下之。宜大承氣湯。

此即前章腹滿痛而論之。故單曰腹滿不減也。金匱要略云。腹滿時減。復如故。此爲寒。當與溫藥。此章所論腹滿不減。減亦不足言。此爲熱實。當下之。宜大承氣湯。傷寒論輯義云。按王函經此下有二條云。傷寒腹滿。按之不痛者爲虛。痛者爲實。當下之。舌黃未下者。下之黃自去。宜大承氣湯。金匱要略亦載此條。恐此經遺脫之。

陽明少陽合病。必下利。陽明少陽病證合發也。蓋陽明者。以邪熱犯胃爲主意。故曰必下利。即與太陽陽明合病者。必自下利義同。而此章論有宿食。故不言自。其脉不負者。爲順也。負者失也。互相剋賊。名爲負也。洪園曰。負之爲言背也。背負之也。賊謂奪物於其所之也。齊按大抵陽明病者。脉滑大。少陽病者。脉弦細。此其爲本脉。又少陽主膽象木。陽明主胃象土。木剋土。此陽明少陽合病。脉見弦細者。木王乘土。而少陽不負。故爲順也。今脉見滑數者。雖木行乘陽明土盛實。而不肯受之。互相剋賊。少陽負者。失也。故更釋其義曰。互相剋賊。名爲負也。以上脉說。疑非仲景氏之舊。意此王叔和欲辨合病下利。脉見滑數之失。而補之也。是故今以脉滑而數直接下利句讀爲善。脉滑而數者。有宿食也。當下之。宜大承氣湯。此與前有宿食應而彼不大便。遂成燥屎。此下利。故不燥結。然俱在胃中。因同爲宜大承氣湯。

此承三陽合病。而明陽明少陽合病。必下利。脉滑而數有宿食者之治法起下少陽病論也按太陽與陽明合病者必自下利是陽氣盛而邪熱未內實仍發汗以解之太陽與少陽合病自下利是以兼少陽陽氣衰少故熱氣難表發而鬱於裏少陽者不可發汗也因與黃芩湯除裏熱以和解之三陽合病亦戒汗下今陽明少陽合病必下利是雖陽明邪熱既犯胃府以兼少陽故熱氣不結實邪氣與水穀渣滓相搏而下利也少陽又不可下也然若脈見滑數者有宿食也有宿食者不除下之則下利亦不止矣故曰當下之宜大承氣湯也

病人無表裏證。此與前章無表裏證相對而言其緩者也。發熱七八日。對前章身微熱而言。發熱此亦緩也。雖脈浮數者。可下之。假令已下。脈數不解。合熱則消穀喜飢。合熱者。謂血熱裏熱相合也。消穀喜飢者。食已即復欲食之謂。玉函。喜作善。至六七日。不大便者。有瘀血。宜抵當湯。下後六七日也。若脈數不解。而下不止。必脇熱便膿血也。下後續下利不止也。熱與血相協而下。此與協熱下利病理同。但水血異耳。

此承陽明證。其人喜忘。及傷寒六七日二章。而更論病人無表裏證。已下之。消穀喜飢。不大便。有瘀血者。若下不止。便膿血者也。言病人無表裏證。發熱七八日。是邪氣伏於裏。而犯血脈。熱氣獨浮越於外也。此無惡寒等之表證。因雖脈浮數者。苟不下之。熱消燥血液。而變證蜂起。必至危篤矣。故不待脈沉實而下之。假令已下。邪熱去。而浮數之脈俱應解。下後浮脈去。而數脈不解者。表浮之熱陷。而血鬱之熱未除也。乃浮熱合血熱。則血脈益熱燥矣。論曰。胃氣實。實則穀消。而水化也。穀入於胃。脈道乃行。水入於經。其血乃成。今血脈熱燥者。引水穀精氣甚急也。因致消穀喜飢。若大便通者。血亦不畜。今至六七日。不大便者。血熱不得泄。血液爲熱被傷。凝滯而生瘀血。仍與抵當湯。以下去之論曰滑而數者故知當屎膿此言脈滑數者熱氣有餘熱氣有餘者敗血液當屎膿也若脈數不解而下不止者熱血相協乃血液腐敗從下利而泄故便膿血也以上二章論陽明少陽合病下利及發熱脈浮數俱不可下也然有宿食者邪氣伏於裏而犯血脈熱氣獨浮越於外者非下之則不解是所以並論之也此承氣湯之餘論又按原本此章若脈數以下為別章今從玉函為一章

傷寒發汗已謂發汗已表邪除也身目為黃謂一身面目發黃也所以然者以寒溼一作溫在裏不解故也以為不可下也寒溼對瘀

熱言也。卽寒飲瘀淫也。王海藏曰、陰黃其證身冷汗出、脈沉、身如熏黃、色黯、終不如陽黃之明、如橘子色。於寒淫中求之。以上六字、後人以本論無寒淫發黃治方、故補言之也。

此爲後章瘀熱發黃者、先論之也。言傷寒邪氣在於表、因發汗已、則表邪除、氣液宣通、應不發黃、而今身目爲黃者、其人素有寒淫在裏、乃爲傷寒鬱熱被熏蒸而發黃也。故明其所由、曰以寒淫在裏不解故也。此已外邪除而不熱瘀於裏、以爲不可下也。竊按此屬茵蔯五苓散證。

傷寒七八日、身黃如橘子色、形容黃色甚言也。惟忠曰、七八日、蓋包大便鞕而言之。身黃之因瘀熱也、不似寒淫之如熏黃也。故曰如橘子色。小便不利、腹微滿者。茵蔯蒿湯主之。

此對前章寒溼發黃。而論傷寒七八日。邪熱專瘀鬱於裏。而氣液不通。水熱熏蒸。因身黃如橘子色。小便不利。腹微滿者。且比前章傷寒六七日。日中不了了者。而辨其緩急。又照之于陽明病發黃。詳舉其證。以互其義。明傷寒陽明。其本雖殊。今其主證同者。宜俱主茵蔯蒿湯以治之也。

傷寒。身黃發熱。梔子蘗皮湯主之。方成本。發熱下。有者字。是

肥梔子十五箇擘　甘草一兩炙　黃蘗二兩

右三味。以水四升。煮取一升半。去滓。分溫再服。惟忠曰。醫

宗金鑑以甘草爲謬代之以茵蔯余則循舊數驗因知其舊之不謬而其代之之反謬也豈非泥之甚乎

論曰陽明病發熱汗出者此爲熱越不能發黃今傷寒身黃發熱者身黃而發熱也雖發熱無汗又不惡寒也是邪熱鬱於心胸熏蒸津液而發黃熱氣及肌肉遂發於皮表而不瘀於裏也因梔子蘗皮湯主之以清解鬱熱則黃從消矣惟忠曰較之於前證則其最輕者也故唯身黃發熱而不至小便不利渴引水漿腹微滿等宣明論載此方曰頭微汗出小便利而微發黃者宜服之爲得之

傷寒瘀熱在裏身必黃熱氣不發越於表而瘀鬱於裏者氣液不通相熏蒸因身

必發黃也。玉函黃上有發字。是麻黃連軺赤小豆湯主之方

麻黃二兩去節　連軺二兩連翹根是。千金翼連軺並作連翹。注云。一作連軺。連翹根也。玉函無連翹根是四字。　杏仁四十箇去皮尖　赤小豆一升　大棗十二枚擘

生梓白皮切一升　生薑二兩切　甘草二兩炙

右八味。以潦水一斗。先煮麻黃再沸。去上沫。內諸藥。煮取三升。去滓分溫三服。半日服盡。傷寒類方云。連軺即連翹根。氣味相近。今人不採。以連翹代可也。學之泰人藥性辨云。潦降注地上之雨水。取清用。勿用簷下滴來者。有毒。正珍曰。一說云。潦水。千金作勞水。即是甘爛水矣。若夫潦者。非有雨則不可得而用。若取而貯之。則若腐敗。何殊不知雨水之爲物。獨經旬日不腐敗矣。五雜俎第三卷載。閩地近海。井泉多鹹。人家惟用雨水烹茶。蓋取其易致。而不臭腐。由是觀之。蓄而待用。亦何不可之有。金鑑云。無梓皮。以茵蔯代之。不知可否。

按陽明病發熱汗出章云。但頭汗出。身無汗。劑頸而還。小便不利。渴引水漿者。此爲瘀熱在裏。身必發黃。又傷寒。瘀熱在裏。身必黃。而陽明病發黃。邪氣盡入在於裏。傷寒七八日。身黃。亦邪氣滲於裏。故等用茵蔯蒿湯。傷寒身黃發熱者。熱氣表發。而不瘀滯腹裏。因主梔子蘗皮湯。今此章雖云瘀熱在裏。身必黃。是邪氣尚淺。非如夫陽明之熱盛渴引水漿。腹微滿者。因麻黃連軺赤小豆湯主之。以解散瘀熱。通氣液。利小便矣。以上四章。就陽明發黃。而論傷寒發黃也。此乃似不于陽明病。然發黃者。專由瘀熱在裏。故編入於此篇內也。又按自陽明病發熱汗出者。此爲熱越。章至於此。極陽明病。及傷寒。諸變證焉。是此篇之總結。

辨少陽病脈證并治第九。方一首。并見三陽合病法。

少陽病者。陽氣衰少也。陽氣衰少者。陰氣亦隨衰。乃熱氣難發於表。鬱於胸脇。而正邪分爭。故指見口苦咽乾。目眩。脇下鞕滿。往來寒熱等證。又按少陽病者。口苦咽乾目眩。故禁吐下發汗。唯與小柴胡湯。以和解之。待邪氣之發動。因若吐下。發汗溫鍼譫語。柴胡湯證罷。此爲壞病。是故僅以數章終篇。

少陽之爲病。口苦咽乾。目眩也。

少陽者。陽氣衰少之謂也。少陽受寒邪。則熱氣難發於表。而鬱於胸脇。裏液爲之乾。氣不充於頭。故其爲病。口苦咽乾。目眩也。此章論少陽正受病之主證也。此少陽病之總綱。以下凡曰少陽病者。皆由此證立言。而及其變。

少陽中風。兩耳無所聞。目赤。胸中滿。而煩者。不可吐下。吐下則悸而驚。金鑑云。若吐下。則虛其中。神志虛怯。則悸而驚也。

此於少陽病中。別邪氣進緩。鬱熱尚欲能發於表者。以名爲少陽中風。今兩耳無所聞。陽虛氣逆之所致。論曰。此必兩耳聾無聞也。所以然者。以重發汗虛故如此。此不因發汗而聾者。少陽者陽氣本衰少故也。目赤胸脇之鬱熱上逆。而熏目沸血也。胸中滿而煩者。邪熱鬱滿於胸中。而此中風乃熱氣尚欲能表發。故煩也。若斯猶似可行吐下者。然少陽者。陽氣衰少。因若誤吐下。則氣液更虛耗。忽致悸驚。愼不可吐下也。此邪熱鬱於胸脇。而煩滿。故特戒吐下也。

傷寒脈弦細。頭痛發熱者。屬少陽。頭痛發熱。今專見也。不言惡寒者。傷

寒。必惡寒也。少陽不可發汗。發汗則譫語。此屬胃。胃和則愈。胃不和。煩而悸。一云躁

太陽病。或已發熱。或未發熱。必惡寒。體痛嘔逆。脈陰陽俱緊者。爲傷寒。今其脈證變而脈弦細。頭痛發熱。蓋頭痛發熱。猶可發汗。而脈弦細者。氣液虛耗。而邪氣專犯於胸脇。故爲屬少陽。既屬少陽者。陽氣衰少。故不可發汗也。若誤發汗。則氣液更亡。餘邪盡入裏胃中乾。而不和。乃發譫語。故此爲屬胃。然而此傷寒頭痛發熱。因發汗逆變不甚。乃津液復。胃氣潤和。則餘邪散而愈。此尚屬柴胡湯證。

所謂與小柴胡湯。上焦得通。津液得下。胃氣因和。身濈然汗出而解之類也。若餘邪甚。胃不和者。不但譫語。更加煩擾忪悸。此即壞病。譫語煩悸。比前吐下悸驚。則輕矣。所以然者。以傷寒發汗。裏虛不甚故也。此傷寒脈弦細。頭痛發熱。故特戒發汗也。

本太陽病不解。此謂發汗不解。見下文。云尚未吐下。可以知矣。轉入少陽者。此與前章屬少陽。有稍所異矣。此悉具少陽病證。故曰轉入。彼脈弦細。頭痛發熱。邪氣未盡入胸脇。具其證。故曰轉屬。是欲諭邪氣淺深。其證具不具也。脇下鞕滿。乾嘔不能食。往來寒熱。尚未吐下。脈沉緊者。與小柴胡湯。方

柴胡八兩　人參三兩　黃芩三兩　甘草二兩炙　半夏半升洗

生薑三兩切 大棗十二枚擘

右七味。以水一斗二升。煮取六升。去滓。再煎取三升。溫服一升。日三服。

按太陽病者。陽氣盛。寒熱相搏於表。乃脈浮。頭項强痛。而惡寒。此當發汗也。而得發汗。不宜。徒氣液亡。而邪氣不解。因轉入少陽。而正邪分爭。其脈證變見。脇下鞕滿。乾嘔。不能食。往來寒熱。脈沉緊者。是邪氣雖㴱於裏。少陽者。陽氣衰少。邪熱鬱於胸脇。乃口苦。咽乾。目眩。故不可吐下也。若誤吐下之。則其證忽頹壞。而致悸驚。至不可與柴胡湯。是故嚴戒吐下。示與柴胡湯之緊要。曰尚未吐下。脈沈緊者。與小柴胡湯。言已經吐下。脈沈緊者。氣液更亡。邪氣盡陷結於裏也。尚未吐下。脈沈緊者。裏虛不甚。邪氣仍半在於外也。因與小柴胡湯。以散胸脇鬱結。則必蒸蒸而振。卻發熱汗出而解。論曰。傷寒五六日中風。往來寒熱。胸脇苦滿。嘿嘿不欲飲食。心煩喜嘔。小柴胡湯主之。今曰脇下鞕滿者。邪氣湊於胸脇。苦滿。乾嘔。比喜嘔。則邪氣不專於胸中。不能食。不欲飲食之甚也。脈亦沈緊。此較脈浮細弦細。則邪氣湊於裏。然往來寒熱。則邪氣半在外。故不曰主之曰與。以示其權用也。前章頭痛發熱。故戒發汗。此轉入少陽。而脇下鞕滿。乾嘔不能食。故與少陽中風。同言吐下也。或問曰。前二章言吐下發汗之逆變。而不舉治方。後又無及其義。但此章特處方者何也。余曰。中風傷寒。太陽病雖其本異。其證稍不同。然至少陽。陽氣衰少。邪氣犯於胸脇。不可吐下發汗則一也。蓋不可吐下發汗。則欲除胸脇之邪熱者。無他治方。且觀次章。若已吐下。發汗。溫鍼。譫語。柴胡證罷。此爲壞病。則前二章。亦未吐下發汗者。既屬柴胡湯證也。甚明矣。然而但此章。特處方者。篇內唯論小柴胡湯。其證罷爲壞病。而不及他藥。是故欲使直相照之于次章。而餘皆省略之。以準知於此也。其若壞病。以法治之。

若已吐下。發汗。溫鍼。譫語。柴胡湯證罷。此爲壞病。知犯何逆。以法治之。

程應旄曰・此條云・知犯何逆・以法治之・桂枝壞病條亦云・觀其脈證・知犯何逆・隨證治之・只此一觀字・一知字・已是仲景・見病知源地位・

此承上三章。故單曰若已吐下。發汗。今添言溫鍼者。蓋論逆治故也。卽與太陽病。三日已發汗。若吐。若下。若溫鍼。仍不解者。此爲壞病。同非悉經吐下。發汗。溫鍼。而[illegible]以下。悉不曰若者。略言也。但少陽病者。邪氣專犯於胸脇。故先言吐下也。讝語。此與前章發汗讝語應特舉之者。蓋少陽者。邪氣在胸脇。因若苟誤治。則邪熱陷入裏胃氣不和。專發讝語故也。然非如陽明熱實讝語也。故曰此屬胃。胃和則愈。少陽病者。治方凡在柴胡。故柴胡湯證罷。此爲壞病。壞病者。謂悸驚讝語煩悸諸證雜出。不一定也。犯者。謂邪氣進於內也。何逆。斥吐下發汗溫鍼諸逆而言也。法者。謂汎治逆變諸證之法方也。以法治之。卽與所謂隨證治之意同。而彼係病證。此係治法。互言其義也。此明若已吐。若下若發汗。若溫鍼因氣液更亡。邪氣盡入於裏。胃氣不和發譫語。柴胡湯證罷。此爲壞病。旣爲壞病者。審辨知邪氣凌犯。由何逆。隨證施治之義也。

三陽合病。脉浮大上關上。吳儀洛曰。上關上。熱勢彌漫之象也。但欲眠睡。目合則汗。此盜汗之甚也。金鑑云。熱聚陽明。則當煩不得眠。今但欲眠睡。是熱盛神昏之眠睡也。眠睡目合熱蒸。則汗自出也。

按陽明篇云。三陽合病。腹滿身重。難以轉側。口不仁面垢。譫語遺尿。此章所論。脉浮大上關上。但欲眠睡。目合則汗者。是邪氣壅於表裏。而生熱。氣液爲之虛耗。因必神昏沉。欲眠睡。目合則衛陽斂降。

與裏熱相搏。腠理疎開。汗自出也。而彼主陽明。此主少陽。互明其義。以總終合病證治焉。此亦屬柴胡湯證。

傷寒六七日。無大熱。陽邪去也。其人躁煩者。陰受邪也。此爲陽去入陰故也。

此章所謂陰陽者。斥內外而言也。蓋陽病者。熱氣發於外。陰病者。寒邪入於內。故外爲陽。內爲陰也。躁者。邪氣進。正氣不堪之所致。故有必死。煩者。熱氣欲發。而難發之所致。故有自解。煩躁者。謂熱氣將發而煩。正氣不堪其勢而躁也。躁煩者。謂邪氣㴱進而躁。正氣猶拒之而煩也。故於邪進入者。多言躁煩。是因病淺㴱緩急異然矣。蓋太陽初得病。而爲傷寒其機轉。或爲陽明病。或入少陽。或屬太陰。太陰乃至少陰厥陰。今傷寒六七日。邪氣入裏之時。無大熱。其人躁煩者。陽邪去外。而進内入陰。正氣不勝邪。裏氣鬱閉之所致。故明其所由。曰此爲陽去入陰故也。三陽病論終于玆。後論三陰病。故言及此也。是此篇之總結。

傷寒三日。三陽爲盡。三陰當受邪。其人反能食。而不嘔。此爲三陰不受邪也。

此依前章所云陽去入陰之義追論傷寒三日三陽盡三陰受邪與不受之證候也金鑑云傷寒之邪一日太陽受之二日陽明受之三日少陽受之四日太陰受之五日少陰受之六日厥陰受之此傳經之次第也今傷寒三日三陽表邪爲盡三陰當受邪其人當不能食而嘔今反能食而不嘔者此爲裏和三陰不受邪也然此乃内經以其大概而言究不可以日數拘也

傷寒三日少陽脈小者欲已也玉函此章置于上篇太陽病發熱而渴章前按此非寸口脈斥少陽經脈言也決死生論云上部天兩頷之動脈呉注云兩頷足少陽膽經脈氣所

行太陽穴分也即是

陽明篇云。傷寒三日。陽明脈大。蓋傷寒二日。陽明受之。乃三日陽明脈大。邪氣進也。三日少陽受之。乃少陽脈當弦緊。今脈小者。邪氣微而退欲已也。

少陽病。欲解時。從寅至辰上。

按卯乃四陽生。少陽者。陽氣衰少也。故得寅卯辰。陽長之時。則陽復與陰相協和。而欲解也。此始於太陽終於厥陰。六病各以三時。欲解。而太陽得巳午未陰漸生之時欲解。陽明得申酉戌陰長之時欲解。太陰得亥子丑。陽漸生之時欲解。少陰得子

丑寅。陽生長之時欲解。厥陰得丑寅卯。陽長之時
欲解。要之陽病者。得陰而解。陰病者。得陽而解。然
而少陽獨得寅卯辰。陽長之時而解者。蓋太陽陽
明者。陽氣盛極。而有餘也。陽氣有餘者。必生熱甚
而損陰。故得陰氣生長之時而欲解。少陽者陽氣
衰少。而不足也。陽氣不足者。熱氣微。而難表發。寒
王而損陽。故得陽氣長之時。而欲解也。以上三章。
疑非仲景氏之舊論。意此王叔和。撰次補入之語。

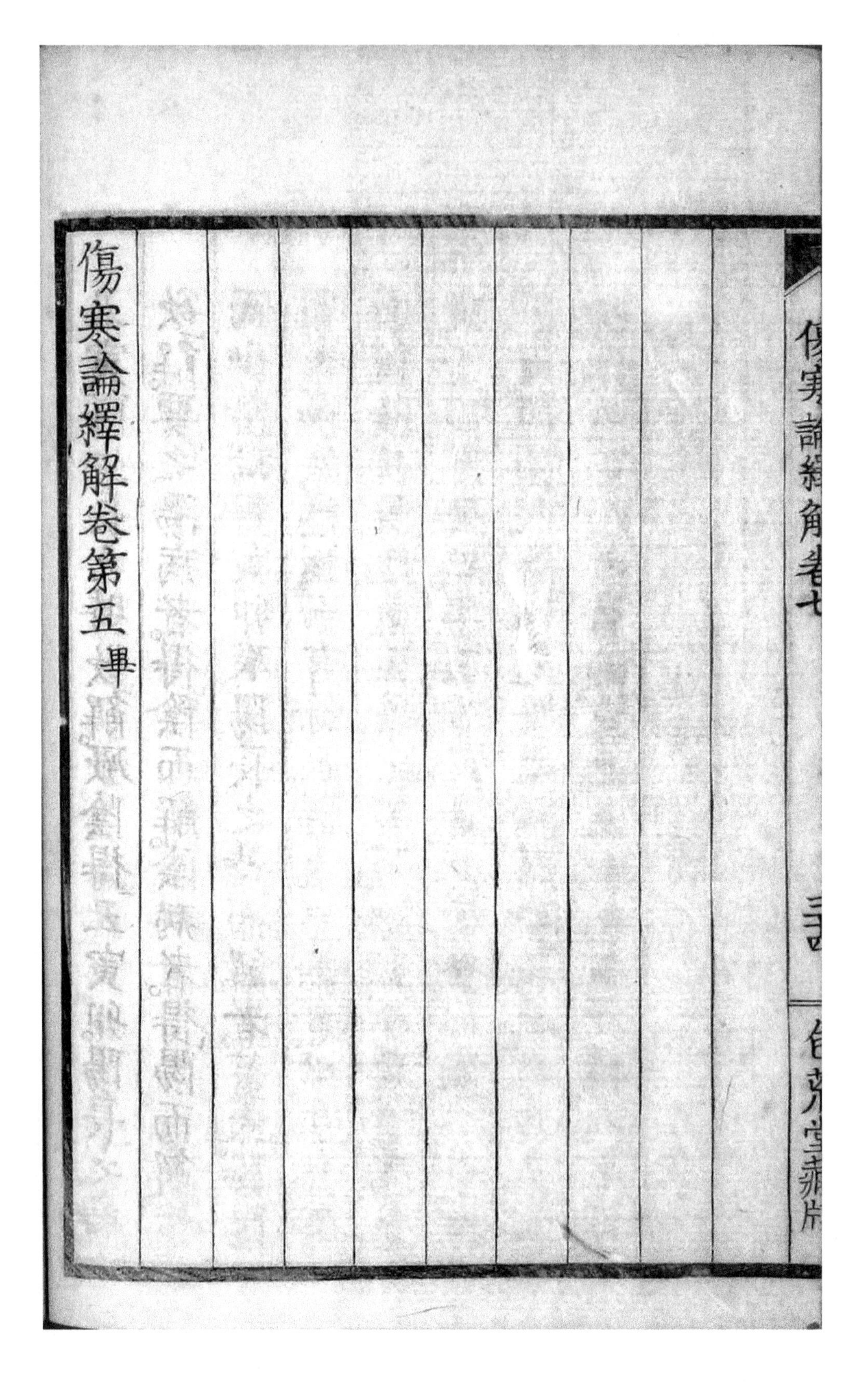
傷寒論繹解卷第五畢

傷寒論繹解
八
392
8

門
卷
373
8

傷寒論繹解卷第六

平安　柳田濟子和　著

辨太陰病脈證并治第十。合三法方三首。

太陰病者。陰氣盛也。陰氣盛者。陽氣亦隨盛。然陰氣主焉。乃寒邪進於裏。而熱氣不能發於表。故指見腹滿。而吐食不下。自利益甚。時腹自痛。手足溫等證。又按凡病有正受者。有轉屬者。皆自太陽病。及傷寒始。而或轉陽明。或入少陽。或屬太陰。而不直轉屬少陰厥陰。蓋於三陰。獨太陰有轉屬者。是以陰盛陽隨盛故也。此雖陽盛陰主焉。太陰乃至少陰厥陰。是故寒邪尚在表。脈浮者。發汗桂枝湯。其藏有寒者。溫之四逆輩。邪氣稍入裏。腹滿時痛者。桂枝加芍藥湯。若大實痛者。桂枝加大黃湯。僅以數章終一篇。或問曰如吾子所言。太陽病及傷寒。轉屬太陰。而不直轉屬少陰厥陰。太陰乃至少陰厥陰。然則三陰亦如三陽。當有合併轉屬之義。而無之何也。曰三陽者。熱氣發表。而能防寒邪。乃其毒進緩。故有其證兼見者。而關治術之標本。因以合併轉屬明之。唯三陰者。不熱氣表發。而防寒。乃其毒進急。故直成一家病。而無治法之先後。因無合併轉屬之義也。

太陰之爲病。腹滿。而吐食不下。謂食不肯下咽也。自利益甚。言自利追時增劇也。時腹自痛。此腹滿主。而吐以下從之。故用而字。自利自痛。與太陽中風。熱自發汗自出。反應。而有表發內陷之別。二自字。宜玩味。若下之。必胸下結鞕。此雖腹滿時痛。吐利。又非大實痛者。故戒下也。

太陰者。陰氣盛之謂也。太陰受寒邪。則熱氣不能發於表。乃其毒自進於裏。而胃氣弱。水穀爲之被觸動。故其爲病。腹滿。而吐食不下。自利益甚。時腹自痛也。若唯見腹滿時痛，妄下之，則邪氣忽內陷。腹氣締結，必致胸下結鞕。此章論太陰正受病之主證也。以下凡曰太陰病者，皆由此證。立言以及其變。金鑑云：六氣之邪感人，雖同人受之而生病各異者何也？蓋以人之形有厚薄，氣有盛衰，藏有寒熱。所受之邪，每從其人之藏氣而化，故生病各異也。是以或從虛化，或從實化，或從寒化，或從熱化。譬諸水火，水盛則火滅，火盛則水耗，物盛從化。理固然也。誠知乎此，又何疑乎。

太陰中風，四肢煩疼，陽微陰濇而長者。按陽微上脫脈字。此與太陽中風。陽浮陰弱。爲欲愈。謂易治也。自有表裏之別。

此於太陰病中。別感邪微。熱氣欲達於表。其毒進緩者。以名爲太陰中風。太陰者。陰氣盛也。故雖邪氣在表。熱氣不能發越。乃致四肢煩疼。脈陽微者。寒邪微。陰濇而長者。熱氣欲自裏達於表之象。是正能勝邪。長者陽也。辨脈法云。陰病見陽脈者生。蓋以陰得陽則解。故爲欲愈也。

太陰病。欲解時。從亥至丑上。

按亥乃陰極。至子一陽生。太陰者。陰氣盛寒王。而損陽。故得亥子丑。陽漸生之時。則陽復與陰相協和而欲解也。疑非仲景氏之意。

太陰病。脈浮者。可發汗。宜桂枝湯。方（王宇泰曰。在太陽。則脈浮無汗。宜麻黃湯。此脈浮。當亦無汗。而不言者。謂陰不得有汗。不必言也。不用麻黃。而用桂枝者。以陰病。不當更發其陽也。須識無汗亦有用桂枝證。玉函。此章。置於太陰中風章上。）

桂枝三兩去皮　芍藥三兩　甘草二兩炙　生薑三兩切　大棗十二枚擘

右五味。以水七升。煮取三升。去滓。溫服一升。須臾歠熱稀粥一升。以助藥力。溫覆取汗。

此承首章。而論之也。論曰。浮爲在表。沉爲在裏。太陰病。脈浮者。雖邪氣在表。以陰氣盛。故外觸胃寒邪。則內忽感之。稍致腹滿等之裏證。是故不熱發與邪相拒乃不見表證故唯以脈浮爲發汗之準據焉蓋脈浮者熱氣浮越之象當有毒氣上衝欲發熱之機因雖有似腹滿等證之不可發汗此不發汗不解故曰可發汗宜桂枝湯又按凡病隨證治者是一定之法也然而其證有本有標本者何謂發於病毒之根柢標者何謂見於病之枝葉矣因施治之要惟在乎拔病根而不拘枝葉故如桂枝湯乃主太陽病頭痛發熱汗出惡風者而又治太陰病脈浮者太陰病者腹滿而吐食不下自利益甚時腹自痛而無頭痛發熱汗出等證然其脈

浮者。寒邪在表。而緩則一也。故均用桂枝湯。以取微汗。麻黃湯。太陽病。頭痛發熱。身疼腰痛。骨節疼痛。惡風無汗。而喘者。主之。而又治陽明病。脈浮無汗。而喘者。陽明病者。胃家實。而無頭痛體痛等證。然其脈浮無汗。而喘者。寒邪在表。而及胸中。未胃實。則一也。故同與麻黃湯。以發汗。大承氣湯。治陽明病。潮熱譫語。手足濈然汗出。大便鞕。及有燥屎。而又治少陰病。自利清水。色純青。心下必痛。口乾燥者。及六七日。腹脹不大便者。少陰病者。脈微細但欲寐。而無潮熱譫語。手足濈然汗出等證。甚則至手足厥冷。然邪熱實於胃。成燥屎。則一也。故同與大承氣湯。以攻下之。白虎湯。傷寒脈浮滑。表有熱裏有熱者主之。而又治傷寒脈滑而厥者。是或表熱。或厥冷。然熱結在於裏。則一也。故並爲白虎湯之所主治。四逆湯。脈浮而遲。表熱裏寒。下利清穀者主之。而又治大汗。若大下利。而厥冷者。是亦或表熱。或厥冷。然寒毒在於裏。則一也。故同與四逆湯。以溫散之。可見施治之要。惟在乎隨根柢之本證。不拘枝葉之標證焉。此其舉大者也。其至小者。及運用于雜病之妙訣。非筆墨所能盡。學者由此審標本。以知病之所在。考藥能。以識立方之意。親驗之於事實。沉研感刻不休。則自然圓熟。乃至一方治數病之神奧矣。

自利不渴者。屬太陰。以其藏有寒故也。魏荔彤曰。自利二字。乃未經誤下誤汗誤吐。而成者。故知其藏本有寒也。正珍曰。藏字。泛指藏府爲言。注家以爲脾之一藏。非矣。當溫之。宜服四逆輩。張兼善曰。經言輩字。謂藥性同類。唯輕重優劣不同耳。

此承首章云。自利益甚。而又明自利不渴者。屬太陰之所因及治方。故單曰自利不渴。蓋自利陰虛生內熱者。必渴。此屬少陰。少陰者。陰氣衰少也。今自利不渴者。屬太陰。以其藏有寒故也。太陰者。陰氣盛乃易生裏寒也。寒者，固有之裏寒也。卽後章所謂腐穢之屬，調經論云，陰盛生內寒是也。當溫之宜服四逆輩。四逆輩該四逆諸湯言也。是欲令隨其病之輕重緩急撰用此輩也。蓋陰病者，專於裏而寒證多轉變亦迅速，故云爾矣。

傷寒脈浮而緩，手足自溫者，繫在太陰。（此謂初得病，繫在太陰，而其證未具也。與轉屬異。）太陰當發身黃，若小便自利者，不能發黃。至七八日，雖暴煩下利日十餘行，必自止。（暴煩者，伏熱暴動，欲表發而難發之所致，十餘行，示其多也。）以脾家實，腐穢當去故也。（此言所以下利自止也。脾家實，謂脾家熱實也。腐穢者，謂寒飲瘀濁為熱腐敗，卽其藏有寒者也。）

此自陽明篇所論。傷寒脈浮而緩。手足自溫章來。且承前章自利。而更明至七八日。雖暴煩下利自止之所由也。太陽病。或已發熱。或未發熱。必惡寒。體痛嘔逆。脈陰陽俱緊者。爲傷寒。今其脈證變浮緩。手足自溫者。是陰氣盛。寒毒自進於裏。熱氣不能發越。而伏於肌肉之所致。故爲繫在太陰。太陰者。熱氣不能發越。乃小便不利者。水熱相熏蒸。當發身黃。若小便自利者。水不畜。熱亦不瘀。因不能發黃。至七八日。邪熱燥結。大便鞕者。此爲陽明病。暴煩下利者。乃太陰證具矣。論曰。下利煩躁者死。

是爲先利而後煩。正氣脫而不勝邪也。此則先煩後利。是脾家實熱氣暴動。腐穢爲之壓下當去。故雖下利日十餘行。必自止也。又按內經以十二經脈配十二藏府。而說病理詳矣。又本論曰。太陽病不解。熱結膀胱。陽明之爲病胃家實。繫在太陰。脾家實者。合內經所說。因成無己以來。注家往往從內經之說。而解本論所云。然而今細考之。又有所大異焉。論曰。太陽病發汗後。大汗出。胃中乾。曰太陽隨經。瘀熱在裏。曰太陽病。三日發汗不解。蒸蒸發熱者。屬胃。曰少陰病熱在膀胱。又不曰太陽病。

而云冷結在膀胱。曰陽明病熱入血室。於太陰病。云胃氣弱。於少陽少陰厥陰。不言肝膽腎。但言足經。而不及手經。而舉心三焦。又金匱要略。論心痛。肺痿腸癰。肝著腎著之病。而未曾以經名辨之。由是觀之。則仲景氏所論。固非外建十二經。內分配十二藏府也明矣。且以三陰三陽說病證者。唯傷寒家之事。而於雜病。則止痓濕暍三病。其故如何。則蓋傷寒也者。一寒毒而人受之。雖同因其人之陰陽盛衰。其所發見之脈證。各異也。是故以三陰三陽。分明陰陽諸證焉。夫痓濕暍者。本由外感發之故亦以太陽辨之其餘雜病者皆沉痾痼毒飲食內傷而其源殊專在於裏而不關外受故不以經名矣又傷寒止言足六經不言手六經者惟湯液隨證治者爲之專務故也其義與素問熱論所謂其未滿三日者可汗而已其滿三日者可泄而已同傷寒者外感陰厲邪氣之所致因其治法專事汗下而鍼灸稀也故但言足六經則足以明陰陽諸證乃不及手六經故不必言矣夫若以十二經配當十二藏府則蓋爲施鍼灸說之者居多故言經之根結傳冋終始究處亦甚詳也於本論則

不言經之根結。傳同等。亦可以知非十二經。配十二藏府之義矣。

本太陽病。醫反下之。因爾腹滿時痛者。屬太陰也。桂枝加芍藥湯主之。大實痛者。桂枝加大黃湯主之。

桂枝加芍藥湯方

桂枝三兩去皮 芍藥六兩 甘草二兩炙 大棗十二枚擘 生薑三兩切

右五味。以水七升。煑取三升。去滓。溫分三服。本云桂枝湯。今加芍藥。千金翼作分溫是

桂枝加大黃湯方

桂枝三兩去皮 大黃二兩 芍藥六兩 生薑三兩切 甘草二兩炙

大棗十二枚擘

右六味以水七升煑取三升去滓溫服一升日三服

此自太陽病桂枝證醫反下之來而論今變屬太陰者之治方也蓋太陽病者脉浮頭項强痛而惡寒此當發汗也況桂枝證而醫反下之然而彼則利遂不止脉促邪熱鬱結於肌肉及胸中喘而汗出因葛根黃芩黃連湯主之此亦誤下裏氣亡表邪乘虛進及腹中腹氣爲之結滯腹滿時痛故爲屬太陰也今腹滿時痛是首章所謂若下之必胸下結鞕者也因桂枝加芍藥湯主之以和解腹裏

散表邪矣大實痛者腹氣結滯益甚熱氣不能表發而實於裏也令大實痛而不用承氣湯者蓋太陽病者雖稍兼裏證尚專發汗此下後屬太陰因唯發汗則氣液更亡而益結實若唯下之則有胃氣弱表邪盡陷之患是所以桂枝加大黃湯主之發表攻下以治之也又按太陽病下之後脈促胸滿者桂枝去芍藥湯主之若微惡寒者桂枝去芍藥加附子湯主之即與此章同太陽病下後之證而有芍藥之去加及附子大黃之別何也蓋彼章所云太陽病而既有腹中結實應下之急因下之

其證除後致脈促胸滿乃桂枝去芍藥若微惡寒者更加附子以治故曰後不曰反此章所論不可下而下之攻無辜之地因表邪及腹中而結滯腹滿時痛乃加芍藥大實痛加大黃故深咎之曰醫反不曰後古人去加增減之精微妙用不可不辨知矣

太陰爲病脈弱其人續自便利按爲字當衍此與首章自利益甚應設當行大黃芍藥者宜減之以其人胃氣弱易動故也

下利者先煎芍藥三沸

此承前章而更明之也言太陰病脈弱其人續自

便利設有腹中結實可下之證當用大黃芍藥者亦宜減服之何則以其人陰氣盛生裏寒乃胃氣弱易動故也

辨少陰病脈證幷治第十一（合二十三法，方一十九首）

少陰病者陰氣衰少也陰氣衰少者陽氣亦隨衰乃寒邪進於裏急而熱氣不發於表故指見脈微細但欲寐心中煩不得臥吐利手足逆冷口燥咽乾等證又按少陰病者無自太陽病及傷寒轉屬但論正受邪故悉曰少陰病其所以無轉屬者蓋太陽病者陽氣盛

專發熱。而寒熱相搏於表。乃脈浮。頭項强痛。而惡寒。因雖經發汗吐下。其證變。不必直至於此。傷寒雖邪氣淩劇。本出於太陽。而或已發熱。或未發熱。必惡寒。體痛嘔逆。脈陰陽俱緊。因其證變。亦不必直至於此。是與少陰寒邪徑進於裏而無發熱者。自懸絕故也。是故此篇。論陰氣衰少。寒邪徑進於裏之脈證。因舉其變證數章焉。乃自少陰病始得之反發熱以下。至於少陰病。二三日以上。心中煩不得臥。此言始得之反發熱。二三日無裏證。微發汗三日以上既見裏證宜清解中間乃自少陰病得之一二日口中和背惡寒以下至於少陰病六七日腹脹不大便此論一二日寒毒在於裏而兼表口中和其背惡寒及身體痛手足寒骨節痛脈沉者寒毒陷於下焦下利便膿血者寒毒犯於中焦吐利手足逆冷煩躁欲死者寒毒犯於上焦胸滿咽痛者寒毒內陷下利下利不止厥逆無脈乾嘔煩者二三日不已至四五日腹痛小便不利四肢沉重疼痛自下利者下利清穀裏寒外熱

者。外四逆。裏鬱生熱。泄利下重者。二三日。裏熱忽實於胃者。或溫散裏寒。或利小便。或清解裏熱。或攻下胃實。諸變證治。末段乃論寒毒在於裏及膈上。有寒飲。急當溫者。以總結。

少陰之爲病。脈微細。但欲寐也。人身之氣。行於陽則動而寤。行於陰則靜而寐。今陰陽氣虛衰。乃爲寒邪內肅而不行。故脈微細。但欲寐也。惟忠曰。少陰病者。身無熱。萎爾如疲昏然。似屈甚則惡寒而踡。但欲寐否則心煩不得臥。惟陰狀爲然矣

少陰者。陰氣衰少之謂也。少陰受寒邪。則其毒進急。而熱氣不表發。故其爲病脈微細。但欲寐也。此少陰病之提綱。後凡稱少陰病者。皆由此脈證立

言而及其變。又按三陽三陰篇中。首章舉脈者。但太陽少陰。蓋太陽病者。邪熱專發於表。故以脈見浮示之。少陰病者。寒毒專進於裏。故以脈見微細示之也。

少陰病。欲吐不吐。心煩但欲寐。但欲寐。少陰病之準證。而今復舉之者。爲下文云。屬少陰。先確實爲少陰病也。五六日。自利而渴者。屬少陰也。自利不渴者。屬太陰。陰氣盛也。自利渴者。屬少陰。陰氣衰少也。虛故引水自救。調經論云。帝曰。陰虛生內熱奈何。岐伯曰。有所勞倦。形氣衰少。穀氣不盛。上焦不行。下脘不通。胃氣熱。熱氣熏胸中。故內熱。今少陰病。自利而渴者。陰虛生內熱。故引水自救。燥渴也。引水。飲水之謂。若小便色白者。少陰病形悉具。小便白者。以下焦虛有寒。不能制

水故令色白也。小便色白謂水飲不化而通利色清白也寒者舊寒痼冷也水者上文云引水之水小便白者以下細釋小便白之所因也

此承首章而論屬少陰者少陰病形悉具者也言少陰病寒邪犯於裏而塞上焦氣液不通胃氣因逆乃欲吐不吐心煩但欲寐至五六日寒邪益進迫胃家水穀觸動而自下利眞陰虛損而生內熱胃氣燥而渴者此雖但欲寐非全少陰故爲屬少陰也虛故引水自救其燥渴也蓋內熱者小便當赤若小便色白者素陰氣衰少陽氣亦隨衰下焦虛有舊寒因不能制化水故令色白也水飲不化

輸燥渴不潤此雖自利上焦熱而渴下焦旣虛而寒毒專於裏也故爲少陰病形悉具也

病人脈陰陽俱緊反汗出者亡陽也此屬少陰蓋陰陽俱緊者傷寒之脈然汗出亡陽者非傷寒證故曰病人而今屬少陰故舉之於此矣脈陰陽俱緊者寒邪湊犯當無汗而汗出故曰反法當咽痛而復吐利法少陰病法也蓋少陰病者專致咽痛吐利故曰法當

此接前章更論屬少陰者之一證也論曰陰不得有汗今汗出屬少陰何蓋太陽病者發熱而汗出陽明病者表裏俱熱而汗出少陽病者胸脇鬱結解熱氣表發而汗出此脈陰陽俱緊不熱發反汗

出者。亡陽外失衛護。邪氣鬱於上焦。而升蒸津液。津脫腠理疎開故也。此冷汗也。亡陽汗出者。眞陰虛故爲屬少陰也。少陰病者。陰氣衰少。寒毒進急。而熱氣不表發。乃邪氣鬱於上焦者。裏液忽枯燥。而咽喉不利。毒氣急迫。而復下陷。患及中下二焦。水穀爲之觸動。法當咽痛而復吐利也。

少陰病。咳而下利。咳主。而下利尋之。讝語者。被火氣劫故也。小便必難。以強責少陰汗也。責謂以火攻也。

此章言少陰病咳而下利。讝語者。被火氣劫。邪火犇逆迫於喉間。而復犯胃。水穀壓下。胃氣燥不和

故也小便必難通利蓋少陰病陰氣衰少寒毒專在於裏然以强以火責少陰取汗眞陰枯竭也

少陰病脈細沉數病爲在裏不可發汗

此承前章而言少陰病不可發汗者也少陰病始得之反發熱脈沉者寒邪淺而無裏證可與麻黃附子細辛湯發汗此脈細沉數者陰虛寒邪壅鬱於裏而生熱之所致故病爲在裏乃不可發汗若唯見惡寒爲表邪不解發汗則亡陽津脫而斃矣

少陰病脈微不可發汗亡陽故也前章云反汗出者亡陽也此云脈微亡陽故也是互見其義也陽已虛尺脈弱濇者復不可下之

此章申明不可汗下者也少陰病脈見微者亡陽故也乃不可發汗表陽已虛尺脈弱濇者裏陰亦大虛復不可下之

少陰病脈緊至七八日自下利脈暴微手足反溫脈緊反去者爲欲解也雖煩下利必自愈

此自前章五六日自利來而論之也少陰病脈緊寒邪湊裏氣鬱生熱寒熱搏擊也至七八日邪氣盡入迫胃水穀觸動自下利脈暴變微者手足當厥冷而反溫者裏氣既得通熱氣達於外也至七八日自下利者脈仍當緊而緊反去者邪氣從下

利而得泄。故爲欲解也。煩者鬱熱將發。難發也。故雖煩下利。必將自愈。此與太陰篇云。至七八日。雖暴煩下利日十餘行。必自止以脾家實腐穢當去故也。粗同其意。

少陰病下利。若利自止。惡寒而踡臥。惡寒主。而踡臥從之。活人書釋音云。踡具員切。踡跼不伸也。手足溫者可治。錢潢曰。踡臥者踡曲而臥。諸寒收引。惡寒之甚也。大凡熱者偃臥。而手足弛散。寒則踡臥。而手足斂縮。下文惡寒踡臥。而手足逆冷者。即爲眞陽敗絕。而成不治矣。若手足溫。則知陽氣未敗。尚能溫煖四肢。故曰可治。

此承前章雖煩下利必自愈而論之也。言少陰病。寒毒內陷而下利。若利自止。惡寒而踡臥者。寒甚也。當厥冷而手足溫者。裏氣既得通。熱氣達於外也。此正勝邪。雖寒甚。猶可治矣。

少陰病。惡寒而踡。時自煩。（鬱熱欲表發。乃與寒邪相爭。故時自煩也。）欲去衣被者。可治。

此章曰時自煩。欲去衣被者。熱發一層于前手足溫。雖寒甚。正能勝邪。故亦曰可治。

少陰中風。脈陽微陰浮者。爲欲愈。

此章但係脈明之者。少陰病邪氣微淺者。又與正氣不相搏擊。乃其餘證不見故也。此於少陰病中。別感邪微。熱氣欲達於表。其毒進緩者。以名爲少陰中風。蓋少陰者。雖陰氣衰少。今脈陽微陰浮者。表邪微。而熱氣欲自裏浮越之象。此亦陰病陽脈。正勝邪退。故爲欲愈也。

少陰病欲解時。從子至寅上。

按子乃一陽生。至寅三陽生。少陰者。陰陽虛衰。寒毒淩而損陽甚。故得子丑寅陽生長之時。則陽復與陰相協和。而欲解也。疑非仲景氏之意。

少陰病。吐利。手足不逆冷。反發熱者不死。前章言熱氣欲發而難發者。故曰手足溫。曰自煩欲去衣被。此云既發熱者。故曰手足不逆冷。此互其義。而明病狀也。少陰病。惡寒而無發熱。爲正當。故於發熱曰反。發熱者。熱氣浮淺於自煩欲去衣被也。不死對死。謂病至危篤將死而猶生機也。有脈不至者。至一作足。按脈經至作足。灸少陰七壯。汪琥曰。經云。腎之原。出於太谿。灸少陰。當灸太谿二穴。在內踝後跟骨動脈陷中。

此承前章少陰病下利。若利自止。惡寒而踡臥。手足溫者可治。而論吐利。手足不逆冷。反發熱。脈不至者。專示灸法也。論曰。少陰病。吐利躁煩。四逆者死。今吐利。寒毒甚也。然手足不逆冷。反發熱者。是陽氣不甚衰。鬱熱發越。乃寒毒不盡陷入故也。故為不死。如斯脈應至而不至者。脈氣為外寒所壅遏也。因灸少陰。以溫散外寒。復脈氣。然而灸法者。兼施之也。若其湯藥。則宜隨證投之矣。後章所謂。

少陰病。得之一二日。口中和。其背惡寒者。當灸之。附子湯主之之類。

少陰病八九日。一身手足盡熱者。此與發熱異。而邪熱淺也。以熱在膀胱。必便血也。此即與淋家。不可發汗。必便血同。斥小便血言也。而又有熱結膀胱而下血者。然則曰熱在膀胱者。非必在於膀胱一府之謂。唯欲專病之所在。而狹指之耳。

此自少陰病脈緊。至七八日。自下利云云來。且承前章。而論少陰病八九日。熱氣有餘。因便血者也。蓋少陰病。至七八日。自下利。寒邪除。熱氣將表達者。雖煩下利。必自愈。吐利。手足不逆冷。反發熱者不死。此八九日。一身手足盡熱者。邪氣陷於下焦壅遏。氣鬱生熱。熱在膀胱。靈蘭祕典論曰。膀胱者。州都之官。津液藏焉。氣化則能出矣。今此津液爲熱枯涸。而氣液不化輸。乃熱氣益加。獨遊走及一身手足。以熱在膀胱。遂動血。必便血也。

少陰病。但厥無汗。而強發之。厥。手足逆冷也。傷寒厥者。必發熱。少陰者。無發熱。故曰但厥。陽病有汗。陰病不得有汗。陰病不得有汗。則固不可言無汗。而曰無汗者何也。欲示難無汗。不可發汗。而強發之之無理言之也。必動其血。未知從何道出。或從口鼻。或從目出者。是名下厥上竭。爲難治。道。竅道也。是氣逆下厥。而上精血竭。故名下厥上竭。

此承少陰病脈細沈數。病爲在裏。不可發汗。及前章便血。而更論强發汗動血甚者。以戒之也。言少陰病。但厥無汗。是陰氣衰少。寒毒湊鬱閉。而成內熱。陰陽氣不相順接之所致。然唯見厥逆無汗。以爲寒邪在表。强發汗。徒亡氣液。乃鬱熱上逆。遂動其血脉。血氣沸騰。未知從何道出。或從口鼻。或從目出。而精血竭。因爲下厥上竭。既血液脫去。而邪熱不除。所以爲難治也

少陰病。惡寒身踡而利。手足逆冷者不治。按前章曰可治者。雖病勢劇。得治方之適當。則猶可治之謂。曰難治者。難爲治功之義。此章曰不治者。雖得治方之宜。遂不治也。今病毒甚而不治。則必精竭而死矣。而不曰死者。以未全見死證故也。卽與後章曰死者。但有緩急耳。

此對前少陰病下利若利自止惡寒而踡臥手足溫者可治及一身手足盡熱而論之也靈樞論痛曰多熱者易已多寒者難已今惡寒身踡而利手足逆冷者寒毒甚而內陷精氣將脫也故爲不治錢潢曰前惡寒而踡因有煩而欲去衣被之證爲陽氣猶在故爲可治又下利自止惡寒而踡以手足溫者亦爲陽氣未敗而亦曰可治此條惡寒身踡而利且手足逆冷則四肢之陽氣已敗故不溫又無煩與欲去衣被之陽氣尚存況下利又不能止是爲陽氣已竭故爲不治雖有附子湯及四逆

白通等法恐亦不能挽回既絶之陽矣

少陰病吐利躁煩四逆者死。此比煩躁則寒毒内攻最劇。四逆四肢厥逆也。

前章少陰病吐利手足不逆冷反發熱者寒毒不盡陷入故雖危猶不死此吐利躁煩四逆者寒毒盡内陷乃正氣脫而不堪邪之所致故爲死證也

少陰病下利止而頭眩時時自冒者死。冒鬱冒也自冒者謂下裏寒除。但虛陽將上脫鬱於頭中而冒也

此接前章而更明少陰病下利止而死者也蓋下利止裏寒已除也而頭眩時時自冒者眞精既虛竭虛陽將上脫也故亦爲必死之候張錫駒曰此

條死證。全在頭眩自冒上看出。若利止。而頭不眩不冒。此中已和矣。安能死乎。

少陰病。四逆惡寒而身踡。脈不至。脈氣絶不來也。即與前反發熱脈不至者稍異。不煩而躁者死。一作吐利而躁逆者死。按脈經。此章前有少陰病。其人吐利躁逆者死一章。此章欲論無熱氣將發之機。但寒毒徑內陷。正氣不堪之由。故不單曰躁。曰不煩而躁。

此承前章而論少陰病寒毒急劇精氣爲毒過絶。不吐利而死者也。成無已曰。四逆惡寒而身踡則寒甚。脈不至則眞氣絶。煩熱也。躁亂也。若憤躁之躁。從煩至躁。爲熱來有漸。則猶可。不煩而躁。是氣欲脫而爭也。譬猶燈將滅而暴明。其能久乎。

少陰病六七日。息高者死。少陰病日數。始於一二日。終於八九日。故卻復言六七日。金鑑云。少陰病。但欲寐。息平氣和順也。今息高。氣促逆也。凡病臥而息高。氣促者。多死。

少陰病六七日。息高者。寒毒既滲壅閉。精氣為之脫。唯虛氣上迫。呼吸激不利故也。焉有生理乎。惟忠曰。六七日。蓋以其漸滲於裏者。論之也。凡人之於死生。其機起于臍中焉。而有常矣。又有變矣。乃候之於脈動與氣息焉。而其在常也。正氣能守而約之矣。故不浮不沉。是為脈動之常也。不高不迫是為氣息之常也。乃其於變也。邪氣必襲而劫之矣。故或浮或沉。是為脈動之變也。乃高乃迫。是為氣息之變也逮其已甚者必至無脈動矣既無脈動猶能氣息矣猶能氣息既已危矣而況於其既高既迫者乎危之至也蓋有其無脈動猶能氣息者也未有其無氣息猶能脈動者也是故脈動死生之小機而氣息死生之大機也乃今所以使息高者不啻不在其常而在其變之已甚者也蓋邪氣大盛則正氣益奪莫不襲而劫之矣惡能守而約之矣所以使息高也豈不危之至乎又如裏寒外熱及下利日十餘行脈反實者與趺陽負少陰者且後之所謂卒中風偏枯之於軒輊與其脈洪

大等。亦皆莫不因邪氣襲而劫之矣。而正氣不能守而約之矣。所以曰死也。可見仲景氏之論其大要。而規則於我我足以擴充吾之技也。豈翅此而已哉。不可不湊留意焉

少陰病。脈微細沉。但欲臥。心氣爲邪壅不通暢。汗出不煩。發熱汗出者。當先煩。今汗出不煩者。邪氣伏塞於心胸膈。氣阻鬱蒸於內。而不達表。因腠理失衛護。而疎開津脫也。即與心下痞。而復惡寒。汗出之汗同。蓋不煩是非病證。而言之者。明汗出不由煩熱。且爲下文煩躁。先欲論無熱氣將表發之機也。自欲吐。至五六日。自利復煩躁。不得臥寐者死。此反對上文欲臥。而言不得臥寐者。添寐字者。欲寐少陰之準證也。

此承前章不煩而躁者。及六七日息高者死。而論

之也。少陰病。寒毒壅於上焦。因脈微細沉。但欲臥。汗出不煩。自欲吐。乃至五六日。寒毒進迫胃家。水穀渣滓觸動。而自下利。裏液益虛耗。鬱熱加而暴動。復煩躁不得臥寐者。是正虛不堪邪勢故也。此雖似少陰病。欲吐不吐。心煩但欲寐。五六日自利而渴。及少陰病脈緊至七八日。下利脈暴微。手足反溫。脈緊反去者。固非其比矣。故亦爲死證也。宜參考脈證。以知矣。又按少陰病者。寒毒徑內陷。而熱氣不表發。是故或胃氣損傷。而嘔吐下利。元陽爲之虛脫。或胃氣鬱閉。而生內熱。眞陰爲之涸竭。

卒然至危篤。救療極難矣。因先詳論治不治難治死生之證候。以明其義焉也。凡爲醫者。常識之。勿以繆死生之機要矣。

少陰病。始得之。反發熱。脈沉者。麻黄細辛附子湯主之。方（玉函作麻黄附子細辛湯。）

麻黄（二兩去節） 細辛（二兩） 附子（一枚炮去皮破八片）

右三味。以水一斗。先煮麻黄。減二升。去上沫。內諸藥。煮取三升。去滓。溫服一升。日三服。

此承首章。而論少陰病。始得之。反發熱。脈沉者之治方也。始謂受病之初一日也。得之得少陰病也。

蓋於太陽。則曰得之八九日。曰十日以去。曰十餘日。於少陰。則曰始得之。曰得之一二日。曰得之二三日。曰得之二三日以上。是以知太陽病者。陰陽盛實。寒熱相搏於表。而邪氣進緩。少陰病者。陰陽虛衰。寒邪進於裏急矣。少陰病者。寒毒徑進犯於裏。是故但惡寒。而無發熱。爲正當。所謂無熱惡寒者。發於陰。即是也。故今於發熱者。曰反。此發熱無汗。而不言無汗者。以陰不得有汗。不須言也。脈沉者。微細而沉也。寒毒深進。將犯於裏。乃雖發熱。脈不能浮。而沉潛也。此與太陽病脈浮。發熱惡風者。

自有表裏之別也。蓋少陰病者。寒邪進於裏急也。然此以始得之其毒未深。故有鬱熱尚發於表者。雖鬱熱發於表。其脈沉者。寒甚於熱。固非太陽病。熱甚於寒。宜以桂枝麻黃發汗之比。因麻黃細辛附子湯主之。以急溫散寒毒。而取微汗也。王宇泰曰。凡邪初中三陰則寒。故宜溫藥發汗。及寒極變熱則復宜寒藥下之。蓋三陰三陽。皆能自受邪。不止自太陽經傳也。

少陰病。得之二三日。麻黃附子甘草湯。微發汗。以二三日無證。故微發汗也。以以下。釋可微發汗之義也。諸本皆作裏證。是也。原本無

裏字。脫落也。方

麻黃二兩去節　甘草二兩炙　附子一枚炮去皮破八片

右三味。以水七升。先煑麻黃一兩沸。去上沫。內諸藥。煑取三升。去滓。溫服一升。日三服。

此接前章。而論之也。少陰病二三日。雖無裏證。寒毒旣浚。若大發汗。則徒氣液亡。而邪氣不除。其逆變難測。故微發汗也。太陽病戒發汗曰。不可令如水流離。病必不除。況於少陰病乎。二三日雖寒毒浚進。無心中煩。吐利腹痛小便不利等之裏證。則邪氣不全入裏也。於太陽病。則曰表不解。表證仍在於少陰病則曰無裏證是亦自有表裏之别矣前章以始得之邪氣未發故以發熱明專於表主麻黄細辛附子湯以急溫散寒毒矣此章得之二三日邪氣既發故曰無裏證以諭仍可微發汗矣此雖曰無裏證以陰氣衰少故邪熱稍及胸中而急迫於咽喉因去細辛之辛散伍甘草之甘和以溫散中兼治急迫矣宜術考甘草湯之章此章下立裏寒裏熱之二道錯綜論之以盡其義

少陰病得之二三日以上此言二三日不得其治而及其以後也周揚俊曰二三日以上該以後之日而言之也心中煩不得臥心中煩言煩發也不得臥臥則氣逆

煩甚。而不堪也。此比五六日自利復煩躁。不得臥寐者。則輕矣。黃連阿膠湯主之方

黃連四兩　黃芩二兩　芍藥二兩　雞子黃二枚　阿膠三兩一云三挺

右五味。以水六升。先煮三物。取二升。去滓。內膠烊盡。小冷。內雞子黃。攪令相得。溫服七合。日三服。千金翼作阿膠三挺。物作味。雞子黃內熱湯中。則沸溢。而不得攪令相和。故待小冷內之也。

此承前章。而論二三日以上見裏證者也。言少陰病二三日。無裏證。宜微發汗。而不發汗。若發汗不得宜。因邪氣盡入於裏。裏氣益鬱。生內熱。血液為之枯燥。毒氣逆窒於心胸。致心中煩不得臥之變。乃黃連阿膠湯主之。以解心中煩熱。融和血液矣。

蓋二三日以上熱氣非甚而忽成血液枯燥之候是亦可以知少陰病爲陰氣衰少矣。

少陰病得之一二日口中和謂口中不乾燥此示裏無熱也其背惡寒者。寒毒凝結於背故也。當灸之。言當灸背寒之所也靈樞經筋篇云以痛爲輸馬玄臺靈樞註證發微云其所取之俞穴即痛處是也俗云天應穴即與此意同附子湯主之方

附子二枚炮去皮破八片 茯苓三兩 人參二兩 白朮四兩 芍藥三兩

右五味以水八升煑取三升去滓溫服一升日三服。

此卻復承首章論裏寒兼表證者也言少陰病得之一二日寒毒徑犯於裏口中和其背惡寒者是表裏俱寒而無熱也因灸之以散表寒凝結主附

子湯以專逐裏寒分利水氣矣王宇泰曰背惡寒者陰寒氣盛此條是也又或陽氣內陷有背微惡寒者經所謂傷寒無大熱口燥渴心煩背微惡寒白虎加人參湯主之是也一爲陰寒氣盛一爲陽氣內陷當于口中潤燥辨之

少陰病身體痛手足寒言病人自覺手足寒冷也此不至厥逆乃與厥寒類而爲之稍輕矣骨節痛脈沉者骨節痛寒毒深沉於骨節也曰身體痛而更曰骨節痛者示病毒漸及深也蓋身體痛者似邪熱在於表之所致然手足寒者非表熱此寒毒甚經氣爲之艱澀相搏擊故也又骨節痛者似寒毒專於表然其脈沉者寒毒專在於裏也今以手足寒三字插於身體痛與骨節痛之間以脈沉作末句者是欲明其意也文辭錯綜之妙手至哉附子湯主之金鑑云身

體痛表裏俱有之證也如太陽病脈浮發熱惡寒身痛手足熱骨節痛是爲表寒當主麻黄湯發表以散其寒今少陰病脈沉無熱惡寒身痛手足寒骨節痛乃是裏寒故主附子湯溫裏以散寒

此章明附子湯之一證也或問曰二章俱寒毒在表裏者而前證兼施灸治此證唯附子湯主之何也答曰前所云口中和背惡寒者表寒凝結於背而不動也因兼灸以溫動之矣此云身體痛手足寒骨節痛脈沉者正邪搏擊甚乃其毒動而漸及疾因唯附子湯主之以溫散裏寒則以附子朮併走皮內逐水氣故表寒亦去諸證悉解矣是所以表證異而均用附子湯者以裏證同故也又問

少陰病始得之反發熱脈沉者發汗則此身體痛手足寒骨節痛脈沉者尤可發汗而不發汗乃主附子湯者以何故曰始得之反發熱者以始得之故邪氣專在於表而未成裏證因次章更論之曰以二三日無裏證故微發汗也身體痛手足寒骨節痛者雖寒邪尚在表之所致然無陽氣之防邪氣脈沉者寒毒徑湊犯既成裏證也故附子湯主之也曰然則病發熱頭痛脈反沉若不差身體疼痛當救其裏宜四逆湯是有發熱而成裏證何也請再詳之曰彼主太陽病係脈浮而言之故於沉

曰反。反者不順也。是經數日反戾而成裏證也。故又曰若不差。此則少陰病。寒毒徑進犯裏。故於脈沉不曰反。是順也。少陰病不發熱。故於發熱曰反。此雖曰反。病寒多邪氣進。熱多陽氣進。是故始得之發熱者。二三日尚無裏證。然而此亦至二三日以上則既成裏證。況無熱寒獨進者乎。乃此與太陽病邪氣專在表。其毒進緩者之反戾。而成裏證者。自有所異也。可得以知矣。豈足容疑乎。唯夫病發熱頭痛及此章同詳舉其所兼之表證。但曰脈沉。不言其所主之裏證者。是示雖有表證。不拘之。

直治裏證，則表證亦可愈。其如裏證，則令知于脈與方，而略之也。又按論中舉附子湯，止此二章。且其證鮮矣。唯眞武湯與此方大同小異。乃併考眞武湯證用之亦可矣。

少陰病，下利便膿血者，惟忠曰：或清血，或後之所謂赤白痢者，亦皆謂之便膿血也。又有腸澼滯下之名，唯是下利便膿血，而差其名耳。桃花湯主之。方張思聰曰：赤石脂色如桃花，故名桃花湯。或曰赤石脂，即桃花石也。

赤石脂一斤，一半全用，一半篩末。　乾薑一兩　粳米一升

右三味，以水七升，煮米令熟，去滓，溫服七合。千金翼去上有湯成二字，服作取字，金匱無服字，是。內赤石脂末方寸匕，日三服，若一

服愈餘勿服。正珍曰，赤石脂一半全用者，與乾薑粳米同煮之也。一半篩末者，和湯服之也。吳儀洛曰，服時又必加末方寸匕，留滯以沾腸胃也。濟按，赤石脂盡末用，則藥汁重濁，泥於胸膈而難下。又減之則不適病，故一半全用，臨服內末方寸匕也。

此章言少陰病寒毒內攻而下利，裏液乾燥，經氣鬱生熱，血液爲之被傷，經陷於腸間，腐敗而便膿血，因桃花湯主之，以和胃氣，除水血瘀毒，則下利從止矣。論曰，傷寒服湯藥，下利不止，心下痞鞕，服瀉心湯已，復以他藥下之，利不止，醫以理中與之，利益甚。理中者，理中焦，此利在下焦，赤石脂禹餘粮湯主之。復不止者，當利其小便。是與此類，宜併考以知其意。按成無己曰。濇可去脫。赤石脂之濇。以固腸胃。甚非也。何則凡病利者。是腸胃固有之瘀濁。爲寒熱邪氣犯於內。觸動而下利也。因其治專在除寒熱瘀濁。是故寒下甚者。與四逆湯。以溫散之。熱利劇者。用承氣湯。以瀉下之。乃今與此湯。亦爲除水血瘀毒也。水血瘀毒不除。則下利不止故也。若濇固腸胃。而止下利。則病毒去無由。必生他病焉。又金匱烏頭赤石脂丸。治心痛徹背。背痛徹心。此亦爲濇固腸胃。則理大戾矣。故知如成說非醫聖之本意也。千金紫圓。下諸毒。方中有赤石

脂。亦可以知除水血瘀毒矣

少陰病二三日。至四五日。此與前二三日同。而彼兼數日。故曰以上。此限四五日。少陰病。詳記日數者。寒邪進急。其證變革迅速故也。腹痛小便不利。下利不止。便膿血者。言下利甚而不止也。惟忠曰。此與前條無以異矣。唯彼則初而始焉者也。此則轉而及焉者也。二者之似不同其所由也。不能無疑乎。二其治法矣。於是並論見其於彼與此。皆一之於此。而不二其治法焉爾。桃花湯主之。

此承少陰病。得之二三日。及前章而論之也。言少陰病二三日。寒邪尚在表者。不得其治。乃至四五日。邪氣盡內陷。而及下焦。膀胱氣不化。致腹痛。小便不利。下利不止。便膿血之變。此與眞武湯證同。

而但便膿血則異矣辨不可下病篇云寒多者便清穀熱多者便膿血蓋便膿血者經氣鬱生熱血液爲熱腐敗而下也仍亦爲桃花湯之所主治今雖腹痛小便不利此下利膿血主焉也魏荔彤曰此證乃熱在下焦而熏蒸中焦使氣化因熱鬱而不行大便因熱盛而自利也久而下利不止將腸胃纖濁之物如膿帶血盡隨大便而下熱一旦不消利一日不止也

少陰病下利便膿血者可刺成無已曰下焦血氣留聚腐化則爲膿血刺之以利下焦宣通血氣臍按此但曰可刺而不言其所刺或曰刺足少陰幽門又按經氣鬱結者其應必見

於大表。乃視經氣鬱結之所在。而刺其俞穴亦可矣。

此接前章。而更明刺法也。言少陰病。下利便膿血者。從邪氣及血脈經氣鬱生熱。血液爲熱傷得之。故其鬱甚者。宜刺其經穴。以宣通血氣。扁鵲傳云。疾在血脈。鍼石之所及。即是也。然此則非依刺法。全愈之義。仍服桃花湯。而兼施之也。論曰。太陽病。初服桂枝湯。反煩不解者。先刺風池風府。卻與桂枝湯則愈。蓋此意。

少陰病。吐利手足逆冷。煩躁欲死者。示垂死之狀也。吴茱萸湯主之方

吳茱萸一升　人參三兩　生薑六兩切　大棗十二枚擘

右四味。以水七升。煮取二升。去滓。溫服七合。日三服。

此承前章而更論吐利之變也。論曰。少陰病吐利躁煩。四逆者死。今吐利寒毒上衝心胸。手足逆冷。煩躁欲死者。其證暴急。然此比躁煩者。則正氣未甚脫。猶能與邪氣爭。激動劇之所致也。故主吳茱萸湯。以降散寒毒則解矣。此吐利。然吐逆主焉。論曰。乾嘔吐涎沫。頭痛者。吳茱萸湯主之。金匱云。嘔而胸滿者。吳茱萸湯主之。可以徵矣。

少陰病。下利咽痛。胸滿心煩。猪膚湯主之。方

猪膚一斤

右一味以水一斗煮取五升去滓加白蜜一升白粉五合熬香和令相得溫分六服。成本心煩下有者字是喻昌曰白粉白米粉也濟按猪膚有臭氣故加白粉熬香以使易服也若無猪膚則以猪膏代用亦可溫分二字顛倒此湯升數多故分六服

前章云少陰病吐利手足逆冷煩躁欲死者寒毒盛上衝心胸之所致因吳茱萸湯主之此章所論下利咽痛胸滿心煩者是非寒毒甚乃由下利裏液虛燥氣不能宣行逆鬱於心胸而成熱急迫咽喉故也又與少陰病二三日以上心中煩不得臥

相類而比。彼則熱氣亦微也。因猪膚湯主之。以潤燥降逆氣。則氣液融和。邪氣從解散矣。

少陰病二三日。咽痛者。可與甘草湯。不差。謂咽痛不差也。玉函有者字。是與桔梗湯。

甘草湯方

甘草二兩

右一味。以水三升。煮取一升半。去滓。溫服七合。日二服。

桔梗湯方千金翼名桔梗甘草湯

桔梗一兩　甘草二兩

右二味。以水三升。煮取一升。去滓。溫分再服。諸本。皆作分溫。是。按甘草。多炙用。今此二方生用。是以此病患急故也。或為令吐濁唾涎沫也。同附子生用。則峻烈。炮用則和緩之別。隨病之緩急。二其用耳。晚世有甘草。生瀉熱。炙補氣之說。不可從矣。惟忠曰。桔梗能消腫排膿。既與甘草湯不差。故加桔梗。以黜其毒氣也。如白散之於桔梗。及千金方。治喉痺毒氣。用桔梗一味。可以推其能矣。後世治咽痛。不拘其輕重。一皆用桔梗湯。不及甘草湯。豈謂僅在桔梗一味。加之亦無害邪甘草湯。遂屬虛設矣。蓋方各有其分存焉。而二方之於分。在其輕重。而隨制其宜者也。是以不徒加桔梗而其煎煑之法。與其服之之法。皆已不同也。東洞子曰。甘草湯主急迫也。桔梗湯。粘痰如膿者主之。

此承少陰病得之二三日。麻黃附子甘草湯微發汗。及前章下利咽痛而論之也。言少陰病二三日。邪氣直犯於上焦。氣液不行。鬱生熱。毒氣急迫咽喉而咽痛者。與甘草湯解其急迫毒則差服之不差者。毒氣益進。血液既凝結於咽中。腫痛甚而將成膿也。是非甘草湯之所宜。乃與桔梗湯。排膿消腫以治矣。

少陰病。咽中傷生瘡。不能語言。聲不出者。此既毒潰。故曰咽中。蓋不能語言。亦有聲出者。此聲不出者。病勢甚也。惟忠曰。如咽中。則不可得而候視也。何以知其傷生瘡乎。不能語言。聲不出者。所以知之也。蓋雖未必傷生瘡乎。其人自謂瘡腫起。充塞咽中。故至於此也。夫既不能語言。聲不出也。飲食何得下。水藥入口出鼻。甚則不能息。不急治。必殺人矣。較之但咽痛者。則更爲太甚矣。後之所謂纏喉風。急喉痺。亦皆類之也。苦酒湯主之。方

半夏洗破如棗核。十四枚。玉函。核下。有大字。雞子一枚去黃。內上苦酒。著雞子殼中。十

金翼作内上好苦酒於殼也。

右二味。内半夏著苦酒中。以雞子殼置刀環中。安火上。令三沸。去滓。少少含嚥之。不差更作三劑。玉函環作鐶。含嚥也。嚥呑也。含嚥者。欲令藥汁中患所也。傷寒論輯義云。攷本草。醋醯也。苦酒也。並爲一物。上是上好之謂。千金翼作上好苦酒。可見耳。惟忠曰。以雞子殼置刀鐶中云云。人多困其不可應卒也。少試此術者。余則屢見其効矣。是固非難行之術也。刀鐶蓋因其幸可置雞子殼之便。舉而諭之爾。故今不必於刀鐶。無已。則緪撓銅線。作如鐶者。苟足置雞子殼邪。以此代之。亦何不可之有。煮不以藥銚。而以雞子殼者。此之爲法。則雖如不可繚乎。如其不可應卒。何不如以磁器之最便也。於是先取一磁盞。盛苦酒二合。投剉半夏一大匕。漬之頃刻。次破雞子一枚。去黄停白。洗苦酒。去半夏。攪和雞子白。令相得。安火上。一二沸。急下火。頓含嚥之。嚥時捫鼻。不令氣入。可。若火太熾。則必凝結。微亦不佳。所謂文武火爲佳。若凝結。不可嚥。則漉絞取汁亦無害也藥已下咽氣通腫消聲自出能語言不及再三最妙余屢見其效者如此矣於是將欲使夫未試之人遍知此術之固不難行也故今詳之爾錢潢曰今之優人每遇聲啞即以生雞子白啖之聲音即出亦此方之遺意也

類聚方集覽云痘瘡間有此證

此接前章而申明毒氣益結聚咽中爲之傷爛生瘡眞陰枯燥喉咽不利乃至不能語言聲不出此最暴急不速治則咽喉閉塞呼吸遏絕而死宜主苦酒湯以急去凝結而通氣矣

少陰病咽中痛半夏散及湯主之方

半夏洗　桂枝去皮　甘草炙

右三味等分各別擣篩已合治之白飲和服方寸匕

日三服。若不能散服者。以水一升。煎七沸。內散兩方寸匕。更煑三沸。下火令小冷。少少嚥之。熱服則卒與病毒阻礙而噎。故令小冷。此亦咽中腫塞。故少少嚥之也。惟忠曰。各方之作劑也。或湯或散或丸。品差其劑。以適其宜。直爲之名。令人法而不繚者也。而今在此也。散適其宜。則如不可更爲湯。然雖然且痛且腫。且涎纏咽中。無奈不能服散。於是不得已作湯者也。乃作湯。猶以散煎服之。則與它作湯之法。又已異矣。以其不可彊也。夫既爲湯爲散爲丸。品差其制。以適其宜。直爲之名。令人法而不繚焉。而今以散作湯者。惟是在一旦之略。而非定常之法也。豈可復例之於它。而繚其正法哉。不可不慎焉。下火。上火之反。卽去火也。半

夏有毒。不當散服。半夏味辛蘞而氣燥。若散服。其毒劇烈而戟咽喉。甚則傷絡脈而唾血。然今咽中腫痛。纏喉急痹。痰涎壅盛。其毒甚。病勢暴急者。非散服。則不能制之。是以毒攻毒。蓋治術之要義也。豈有恐而不用之理乎。此曰半夏有毒。不當散服者。是恐其毒烈之言。而與本節所言。大左矣。後

人之纔入。不俟言可知矣。玉函無半夏有毒以下八字。爲是。

此章曰咽中痛者。毒結湊於咽痛。乃咽中腫塞而痛也。蓋咽中痛者。毒氣急迫。津液凝滯。而唾涎沫。甚則至水漿不下。此病勢既急也。故半夏散及湯主之。以急破毒結。緩急低衝氣。

少陰病下利。白通湯主之。方

方有執曰。用葱白。而曰白通者。通其陽。則陰自消也。濟按本草綱目。孟詵曰。葱白。通關節。止衄血。利大小便。今此方主葱白。而名白通湯者。以葱白色白。其功能通經氣。降氣逆故也。

葱白四莖　乾薑一兩　附子一枚生去皮破八片玉函生下有用字是

右三味。以水三升。煮取一升。去滓。分溫再服。

此承前少陰病下利便膿血而論下利一證治也
按白通湯於乾薑附子湯方内伍葱白者也蓋乾
薑附子湯證之晝日煩躁不得眠夜而安靜不嘔
不渴無表證脈沉微身無大熱者是本太陽病汗
下後寒邪入於裏而表氣鬱之所致今此少陰病
寒邪徑進突犯經氣爲之不通毒氣下陷專下利
而不急迫厥逆又不便膿血因主此湯以温散寒
毒通經氣則表裏諧和而下利從止矣
少陰病下利脈微者與白通湯按前證亦脈當微而此曰脈微者爲下無
脈先言之也利不止厥逆無脈乾嘔煩者白通加猪膽汁

湯主之。無脈謂脈氣伏無其應也。非絕不來。服湯脈暴出者死。微續者生。湯即白通加猪膽汁湯也。傷寒類方云。暴出乃藥力所迫。藥力盡則氣乃絕。微續乃正氣自復。故可生也。前云其脈即出者愈。此云暴出者死。蓋暴出與即出不同。暴出一時出盡。即出言服藥後少頃即徐徐微續也。須善會之。

白通加猪膽湯方。諸本皆膽下有汁字。是

葱白四莖　乾薑一兩　附子一枚生去皮破八片　人尿五合　猪膽汁一合

右五味。以水三升。煮取一升。去滓。內膽汁人尿。和令相得。分溫再服。若無膽亦可用。按此方白通湯加猪膽汁人尿。而但稱白通加猪膽汁湯者何也。凡方中伍不潔之物者。醫人欲救病苦之所爲。而實出于不得止矣。乃雖人尿之不潔不辟而加之也。然而題其方名則公事也。乃不可不辟不潔矣。是故方中雖加人尿方名忌之不書也。若無膽以下疑非仲景氏之舊。正珍曰。今人治卒患急病氣閉脈伏不省人事者。每用熊膽屢奏奇効與仲景氏加猪膽之旨暗合冥契矣。

此即前章。而詳舉其脈證。以申明病進之義也。蓋少陰病。下利脈微者。與白通湯。適當也。利當止而不止者。寒毒進急。乃藥力不能防之故也。今復以下利不止。裏虛經氣益不通。毒氣痞塞於心胸而生熱。致厥逆無脈。乾嘔煩之變。仍於白通湯。加猪膽汁人尿。以兼開痞塞。降逆氣矣。服湯脈暴出者。雖痞塞稍開。經氣通。胃氣既虛竭。孤陽浮越之所致。而根本絕。故爲死徵。微續者。隨痞開經通。眞陽漸回復。是胃氣尚存。而根柢固。故爲生也。

少陰病。二三日不已。至四五日。正珍曰。不已者。謂其病不差。內經中。往往以已字爲差。不已者。示前藥無効之辭。腹痛。小便不利。四肢沈重疼痛。四肢沈重。謂四肢墜重。而不任自擧。即太陽篇眞武湯章云。身瞤動。振振欲擗地之類。自下利者。此爲有水氣。此斥腹裏固有之水氣言也。即與小青龍湯章云。心下有水氣同。而彼則水氣專在心下。故特指其所在。此則水氣延及於四末。故不言其所在矣。其人或咳。小青龍證云。發熱而咳。此但咳而無熱。俱因有水氣也。而小青龍以咳爲主證。此湯以咳爲兼證。或小便利。此對上文小便不利而言。或小便利。或下利。此承上自下利而更言寒毒內陷。胃氣爲之被傷而下利者也。或以爲不下利之譌者。非。何則自下利與下利。其病態自異故也。不爾則何以煩曰下利曰自下利邪。此有治術之所關焉。乃不可不分別也。或嘔者。眞武湯主之。方。或以下諸證者。或見或不見也。是皆此湯之所兼治。不必須加減也。

茯苓三兩　芍藥三兩　白朮二兩　生薑三兩切　附子一枚炮去皮破八片

右五味。以水八升。煮取三升。去滓。溫服七合。日三服。

若咳者。加五味子半升。細辛一兩。乾薑一兩。咳因水氣逆而凝氣道發。故加五味子細辛乾薑。收逆氣。溫散水寒。若小便利者。去茯苓。水氣下降。小便利者。不宜茯苓通泄。故去。若下利者。去芍藥。加乾薑二兩。寒毒內陷。胃氣被傷。而下利者。乃不宜芍藥泄氣。故去之。加乾薑以溫散寒毒。若嘔者。去附子。加生薑。足前爲半斤。嘔因下寒毒壅於上焦。氣液不通。胃氣逆上。乃不宜附子逐水。故去之。加生薑以散寒邪壅滯。

此承附子湯章。及前章。且對桃花湯證。而論之。故曰少陰病。二三日不已。至四五日。蓋此方。與附子湯。但用人參。用生薑。其劑有輕重之異已。夫附子湯證者。少陰病得之一二日。寒邪經湊進及裏致口中和。背惡寒身體痛手足寒骨節痛脈沉。此雖不言裏證。其脈既見沉。則其毒結於裏。氣液不行。有心下痞鞕等證也。因用人參。是寒毒盛且急。故重其劑矣。此章所論少陰病二三日不已。至四五日。寒邪犯於裏而尚兼表見腹痛小便不利四肢沉重疼痛自下利及或以下之證者。是初二三日。服附子湯。寒邪依之雖減其人素有水氣乃水動搖。逆上陷下。流於四肢之所致。因用生薑。且輕其

包荒堂藏版

劑矣。於附子湯則曰脈沉而略裏證。今此詳裏證。又桃花湯證者。少陰病二三日至四五日。寒毒盡入裏。腹痛。小便不利。下利不止。便膿血。是即與此湯證類。而桃花湯則主下利不止。便膿血。又白通湯專治下利。此湯則治腹痛。小便不利。四肢沉重疼痛。自下利。是皆彼此相承接。以互明其義也。不可不審辨別矣。

少陰病下利清穀。裏寒外熱。手足厥逆。脈微欲絕。身反不惡寒。其人面色赤。其人下恐脫或字也。或腹痛。或乾嘔。或咽痛。或利止脈不出者。通脈四逆湯主之。方此方溫散寒毒。

而通血脈之功，長於四逆湯，故冠通脈二字。

甘草二兩，炙　附子大者一枚，生用，去皮，破八片　乾薑三兩，強人可四兩

右三味，以水三升，煮取一升二合，去滓，分溫再服，其脈即出者愈。脈微欲絕者，服湯後即微續出也。此與脈暴出而忽絕者自不同，故爲愈。面色赤者，加葱九莖。千金翼葱下有白字。是面色赤者，經氣鬱熱，氣逆上也，因加葱白以溫經通氣，降逆上。腹中痛者，去葱，加芍藥二兩。即上文之腹痛，是寒毒結聚於腹中，而與正氣相搏，拘急痛也。乃不宜葱之通經，因去葱，加芍藥以和解腹中結痛。嘔者，加生薑二兩。即上文之乾嘔，是寒邪壅於上焦，胃氣爲之虛，而下利清穀，胃中不留水穀，故乾嘔也。因加生薑以散寒邪壅滯。咽痛者，去芍藥，加桔梗一兩。玉函作二兩。咽痛者，毒氣切逼於咽喉，氣液凝結故也。乃非芍藥之所宜，因去之，加桔梗以排氣液凝結。利止脈

不出者。去桔梗加人參二兩。脈不出。謂脈微欲絕者。不復出也。非絕而不出。調經論云。厥氣上逆。寒氣積於胸中而不瀉。不瀉則溫氣去。寒獨留則血凝泣。凝則脈不通。卽是也。今利止則陽氣復。其脈當出。而不出者。水穀汚濁盡而利止。雖利止。氣血更亡。寒毒結聚於心下。而脈氣凝泣故也。乃非桔梗之所宜。因去之。加人參以解心下結毒。通氣液。又按此章曰去葱。去芍藥。去桔梗者。及面色赤。腹中痛等上並無若字者。可疑矣。傷寒論析義云。右加減法。論中無此例。蓋仲景依古成文不改爾。

病皆與方相應者。乃服之。言諸病皆其證與此方相應者。乃宜服之也。

此承少陰病下利脈微云云章而論之也。裏寒外熱者。寒毒盛於裏。下利清穀。眞陰虛竭。陽氣格於外而生熱也。雖外熱。寒盛於裏。內外氣隔絕。故手足厥逆。脈微欲絕也。手足厥逆。脈微欲絕者。是寒毒盛之所致乃當惡寒而身反不惡寒者外熱故也蓋彼下利不止裏陰虛經氣益不通毒氣逆塞於心胸鬱而生內熱致厥逆無脈乾嘔煩因與白通加猪膽汁湯此寒毒盛於裏下利清穀陰陽俱大虛毒氣急迫陽氣格於外而生熱致手足厥逆以下之諸證因於四逆湯方內加增乾薑附子以急逐裏寒復陽氣矣

少陰病四逆方有執曰人之四肢溫和爲順故以不溫和爲逆但不溫和而未至於厥冷則熱猶未深入也其人或咳或悸或小便不利或腹中痛或泄利下重者四逆散主之方此方內解熱結而外治四逆故名四逆散

甘草炙　枳實破水漬炙乾王函破以下作炙一字　柴胡　芍藥

右四味。各十分。擣篩。白飲和。服方寸匕。日三服。此方令散服者。欲徐徐解熱結。達於外也。咳者。加五味子。乾薑各五分。并主下利。咳者。由寒邪逆迫喉間。故加五味子。乾薑。以散寒收逆氣。并主下利者。以加乾薑故也。悸者。加桂枝五分。悸者。腹氣不充。而毒氣上衝之所致。因加桂枝。以低衝氣。所謂發汗過多。其人叉手自冒心。心下悸。欲得按者。桂枝甘草湯主之之類。乃與有水氣而悸者自異矣。小便不利者。加茯苓五分。邪氣及下焦。而膀胱氣不和。致小便不利。因加茯苓。以通暢水道。腹中痛者。加附子一枚。炮令坼。字彙云。坼裂也。寒毒結聚。致腹中痛。因加附子。以急溫散寒結。泄利下重者。先以水五升。煑薤白三升。煑取三升。去滓。以散三方寸匕。內湯中。煑取一升半。分溫再服。玉函無令坼二字。及煮取三升之煮字。是泄利下重者。邪熱犯於腸胃中。胃氣不和。水穀汚濁下泄。而瘀毒粘膠。窘迫腸間。大便澀難通也。因薤白煑汁內散。服之以解瘀毒。滑利大便。惟恵曰。煮散而服者。與半夏散略同。此或臨時可行者歟。

張錫駒曰。凡少陰病四逆。俱屬陽氣虛寒。然亦有陽氣內鬱。不得外達。而四逆者。又宜四逆散主之。

濟按此章所言之諸證。大類眞武四逆之證。然無四肢沉重疼痛。又不至下利清穀。手足厥冷。而但見四逆。或以下諸證者。是陽氣爲寒邪壅遏。不能達於四末。鬱於裏生熱。正邪相搏之所致。而非寒甚。所謂厥深者熱亦深。厥微者熱亦微。厥應下之類。

而熱厥之微淺者也。故主四逆散以治之也。此條對前章裏寒外熱。而舉邪熱結於裏。而外四逆者。以爲後章論邪熱內實者之地。

少陰病。下利六七日。咳而嘔渴。心煩不得眠者。猪苓湯主之方

猪苓去皮 茯苓 阿膠 澤瀉 滑石各一兩

右五味。以水四升。先煮四物。取二升。去滓。內阿膠烊盡。溫服七合。日三服。陽明篇。滑石下。有碎字。物作味。盡作消。

此章接續桃花湯章。而論其後證治方也。今此咳而嘔渴。心煩不得眠者。蓋夫少陰病二三日。至四

五日腹痛小便不利下利不止便膿血既六七日乃血液枯燥而鬱熱加渴飲水水復停畜熱氣幷水從下焦逆逼於上焦心氣不安和之所致也仍猪苓湯主之以滲泄停水潤和血液則熱消諸證隨治矣論曰復利不止當利其小便此之謂也然而次敘之於玆者欲令相照之于前章或咳或小便不利或腹中痛或泄利下重以知其所異也又此與黃連阿膠湯證心中煩不得臥相類而彼邪氣專在於上焦此專在於下焦宜參考以知處方之殊別矣

少陰病。得之二三日。口燥咽乾者。口燥咽乾。比舌上乾燥。則最甚。蓋口咽者。津液潤澤之地。然而今得病二三日。忽乾燥者。可知熱氣滾眞陰枯涸劇也。雖熱結在裏。未實胃家。而熱氣散漫者。胃液爲熱被升出於外。必舌上乾燥而渴。乃屬白虎加人參湯。此口燥咽乾。而反無渴者。熱毒結實於胃。而不發動故也。以熱氣不發動。故但口燥咽乾。而不見餘證也。急下之。宜大承氣湯。方胃家熱實。則大承氣湯之正證也。然此少陰眞陰虛竭。因權用之。故曰宜也。下並同。

枳實五枚炙 厚朴半斤炙去皮 大黄四兩酒洗 芒消三合

右四味。以水一斗。先煮二味。取五升。去滓。内大黄。更煮取二升。去滓。内芒消。更上火。令一兩沸。分溫再服。一服得利。止後服。陽明篇。味作物。火上有微字。無令字。一服以下。作得下餘勿服五字。

此對少陰病得之一二日。口中和。其背惡寒者。且承前章而論裏熱深劇者也言一二日口中和其背惡寒者寒毒在表裏而無熱鬱因灸之附子湯主之今二三日口燥咽乾者裏陽爲寒毒被壅遏而生鬱熱眞陰枯涸寒化而爲熱忽實於胃家之所致因急下之宜大承氣湯按陽明病者陽氣極盛陰氣亦隨盛裏熱煎熬胃液故發熱汗多者若發汗不解腹滿痛者津液越出胃乾熱加而忽致內實因不速拔邪熱則精氣竭死故曰急下之宜大承氣湯今於少陰病亦曰急下之者其故何也蓋少陰病者陰氣衰少陽氣亦隨衰然寒毒壅遏

甚者。雖陽微也。以不能一毫泄於外。故鬱熱加。眞陰益虛。忽燥結而致內實。此亦暴急。不速下。則精竭死。故亦曰急下之也。陽明少陰。其脈證異。而均與承氣者。以胃家熱實一故也。正珍解此以下三章曰。並是陽明病有燥屎者。而實非少陰證。今冒以少陰病三字者。以其有無熱欲寐等證也。此說起于以少陰惟爲虛寒病。乃用承氣。有疑矣。豈有陽明病而見少陰證者邪。若假見少陰證者。則固不得爾少陰病矣。不稽之甚耳。

少陰病。自利清水。色純青。純。不雜之稱。結熱蒸宿水。因致色純青。金鑑云。自利淸水。謂下利無糟粕也。色純青。謂所下者。皆汚水也。心下必痛。口乾燥者。正珍曰。心下痛。似結胸。非結胸。蓋彼有鞕滿。而此無鞕滿。其別可知也。濟按。口乾燥。比前口燥咽乾。則眞陰虛竭。不甚矣。可下之。宜大承氣湯。一法用大柴胡。濟按。脈經宜以下。作屬大柴胡湯承氣湯證。蓋口燥咽乾者。邪熱鬱閉。極劇。眞陰枯涸急也。故曰急下之。此亦眞陰枯涸。然因自利。得熱氣從泄。乃熱閉不甚急。故曰可下之。而其熱實燥結則一也。故同曰宜大承氣湯。可見古人用意於文辭中。精密雖一字不苟焉。是故非潛心玩索之。則必不可得其幽妙矣。然而或省章句。移篇次。換字。以欲解之者。是猶亂宮商。欲樂奏。豈亦可得乎。又失作者之本意也。

此承前章。申明自利亦有可下者也。言少陰病。寒毒入於裏。而壅遏裏氣。鬱閉生熱。而迫胃。水穀爲之觸動。自利清水。色純青。而糟粕不下。裏液枯涸。

熱氣益加。遂與糟粕結實於胃家。而拒心下。因心下必痛。口乾燥也。此雖自利。不下之。則毒氣衝心而死。可下之。宜太承氣湯。傷寒論輯義引名醫類案云。孫兆治東華門竇太郎。患傷寒經十餘日。口燥舌乾而渴。心中疼。自利清水。衆醫皆相守。但調理耳。汗下皆所不敢。竇氏親故相謂曰。傷寒邪氣害人性命甚速。安可以不次之疾。投不明之醫乎。召孫至曰。明日即已不可下。今日正當下。遂投小承氣湯。大便通得睡。明日平復。衆人皆曰。此證因何下之而愈。孫曰。讀書不精。徒有書爾。口燥舌乾而渴。豈非少陰證邪。少陰證固不可下。豈不聞少陰一證。自利清水。心下痛。下之而愈。仲景之書。明有此說也。衆皆欽服。

少陰病六七日。腹脹。謂腹滿脹於外之甚也。脈經脹作滿。不大便者。急下之。宜大承氣湯。張兼善曰。陽明與少陰。皆有急下之條。然而證雖不同。其入府之理則一。是以皆用大承氣也。

此對前章自利。而更論腹脹不大便可急下者也。論曰。少陰病六七日。息高者死。此亦六七日。雖息不高。腹脹不大便者。邪熱鬱閉甚。胃實燥結故也。因不速除熱實。則滿悶精竭。而卒死。此六七日。比前少陰病得之二三日口燥咽乾者則病勢自緩然今既及致是危急則一也故亦曰急下之宜大承氣湯又按自少陰病得之一二日口中和章以下至此章盡少陰病或寒或熱之諸變證治焉

少陰病脈沉者急溫之

正珍曰少陰病脈沉乃脈微細而沉也微細二字含畜在少陰病三字中汪琥曰少陰病本脈微細但欲寐今者輕取之微脈不見重取之細脈幾亡伏匿而至於沉此寒邪深中於裏殆將入藏溫之不容以不急也少遲則惡寒身踡吐利躁煩不得臥寐手足逆冷脈不至等死證立至矣四逆湯之用其可緩乎成無己曰既吐且利小便復利而大汗出下利清穀內寒外熱脈微欲絕者不云急溫此少陰病脈沉而云急溫者彼雖寒甚然而證已形見於外治之則有成法此初頭脈沉未有形證不知邪氣所之將發何病是急與四逆湯溫之濟按太陰病脈浮者可發汗少陰病

脈沉者。急溫之。亦可以見因陰陽盛衰。有寒邪之淺深矣。宜四逆湯方

甘草二兩炙　乾薑一兩半　附子一枚生用去皮破八片

右三味。以水三升。煮取一升二合。去滓。分溫再服。強人可大附子一枚。乾薑三兩。

此承對前章急下之者而論可急溫者也。此但曰少陰病脈沉者。即與麻黃細辛附子湯。及附子湯之脈沉應而無發熱身體痛等證。又無口燥咽乾。始得之若一二日。二三日。脈微細而沉。惡寒但欲寐也。是寒邪劇徑入於裏。而伏結。正氣退。而不相搏。故不見餘證也。因不速溫散寒毒。則其變難測。

故曰急溫之宜四逆湯又按少陰者陰氣衰少陽氣亦隨衰乃受寒邪則其毒徑深進而壅遏正氣因無熱氣表發脈微細但欲寐然而若正爲邪頽敗者其寒益王致口中和背惡寒身體痛手足寒骨節痛脈沉吐利手足逆冷煩躁下利不止厥逆無脈乾嘔煩腹痛小便不利四肢沉重疼痛自下利下利清穀裏寒外熱手足厥逆脈微欲絕身反不惡寒等證若正猶敵邪者氣鬱生熱見反發熱心中煩不得臥下利便膿血咽痛四逆其人咳悸小便不利腹中痛泄利下重咳而嘔渴心煩不得

眠。口燥咽乾。自利清水。色純青。心下必痛。口乾燥。腹脹不大便等證。其從寒化者。始於附子湯。而其變極於通脈四逆湯。其從熱化者。始於麻黃細辛附子湯。而其變終於承氣湯。治法悉令臨機應變。因今此章。卻論寒毒伏結於裏。而不見餘證者。示宜急溫之。救未變之義。以總結此篇焉。可見至於少陰病之邪氣專犯於腹裏。而外見證少。既垂死亦尚能辨寒熱虛實。立治方之條理。分明詳且盡矣。如斯則非醫聖。誰能爲之哉。予家君嘗曰。此經若墜地。則凡爲醫者。由何以得開眼目。觀診法治術之妙訣乎。實萬世之龜鑑。不可不尊信矣。皇甫士安曰。仲景垂妙于定方。又古爾仲景氏爲醫聖方祖者。宜哉。

少陰病。飲食入口則吐。心中溫溫欲吐。復不能吐。始得之。手足寒。脈弦遲者。此胸中實。不可下也。當吐之。若膈上有寒飲。謂飲物留停。而失溫養之氣者也。乾嘔者。不可吐也。當溫之。宜四逆湯。程應旄曰。溫溫字。與下文寒飲字對。欲吐復不能吐。與下文乾嘔字對。乾空也。飲食入口即吐。業已吐訖矣。仍復溫溫欲吐。復不能吐。此非關後入之飲食。吐之未盡。而胸中另有物。爲之格拒也。胸中實者。寒物窒塞于胸中。則陽氣不得宣越。所以脈弦遲。而非微細者比。手足寒而非四逆者比。但從吐治。一吐而陽氣得通。若膈上有寒飲。乾嘔者。虛寒從下上。而阻留其飲于胸中。究

非胸中之病也直從四逆湯急溫其下矣

此即前章申明當溫者也少陰病寒邪犯於心胸而壅上焦氣液不通鬱閉生熱而溫畜於內因飲食入口則吐不飲食亦寒熱相搏心中溫溫欲吐復不能吐也始得飲食入口則吐等證而手足寒脉弦遲者邪氣結實於胸中陽氣阻隔而不能達於四末也今邪結於胸者似結胸應下然飲食入口則吐心中溫溫欲吐復不能吐者此邪實專在膈上而不及膈下故曰不可下也當吐之若膈上有寒飲乾嘔者大似邪結實於胸中欲吐復不能

吐者。而此則寒邪不結實。但與固有之寒飲相併。而壅於上焦。胃氣逆之所致也。故曰不可吐也。當溫之。此主論當溫。故於溫舉其方。曰不可下也。當吐之者。是自賓及主。辨其疑途也。又按太陽下篇云。此爲胸有寒也。宜瓜蒂散。寒者。卽寒飲痰濁然今曰膈上有寒飲。不可吐也。當溫之者何。蓋胸中有寒。當吐者。結實甚故也。是故夫章曰。病如桂枝證。頭不痛。項不強。寸脈微浮。胸中痞鞕。氣上衝咽喉。不得息。是所以宜瓜蒂散也。此章所論。乃寒邪不結實。與寒飲相併。乾嘔耳。此屬虛。因不可吐。當溫散之也。以寒物雖一也。有虛實之分。故爾矣。論曰。諸亡血虛家不可與瓜蒂散此之類也。正珍解此章曰。膈上當作膈下。脈經不可吐篇引此條云。若膈下有寒飲乾嘔者。不可吐當溫之。本論勞復篇云。胃上有寒。當以丸藥溫之宜理中丸合而考之上字。當作下字。雖然脈經可溫篇復引之。其所言與本論同。又原本勞復篇。胃上作胸上。據之則正珍之說。未允當。

少陰病下利。脈微濇。因下利。氣液虛耗。故脈見微濇也。嘔而汗出。下焦虛。乃毒氣急迫。而壅於上焦。胃氣逆嘔。嘔則氣益逆。腠理疎。而汗出。是既陽氣虛。失衛護故也。必數更衣。反少者。行厠數。而大便通利反少也。是氣不下降故也。錢潢曰。必數更衣。反少者。即裏急後重之謂也。當溫其上。灸之。脉經云。灸厥陰。可五十壯。

惟忠曰。下利之因裏寒也。嘔而汗出。則唯有欲下利之氣。不能太多。故曰必數更衣。反少。此似夫裏熱之下重。果有異矣。故曰當溫其上灸之。謂與四逆湯。且灸厥陰也。方有執曰。上謂頂。百會也。此一取之於灸。然則何不曰灸其上。溫之乎。可謂謬矣。郭雍曰。惟幽門主治乾嘔噦。裏急下利。濟按此章亦言當溫者也。所謂當灸之附子湯主之之類歟。疑非仲景氏之舊論。

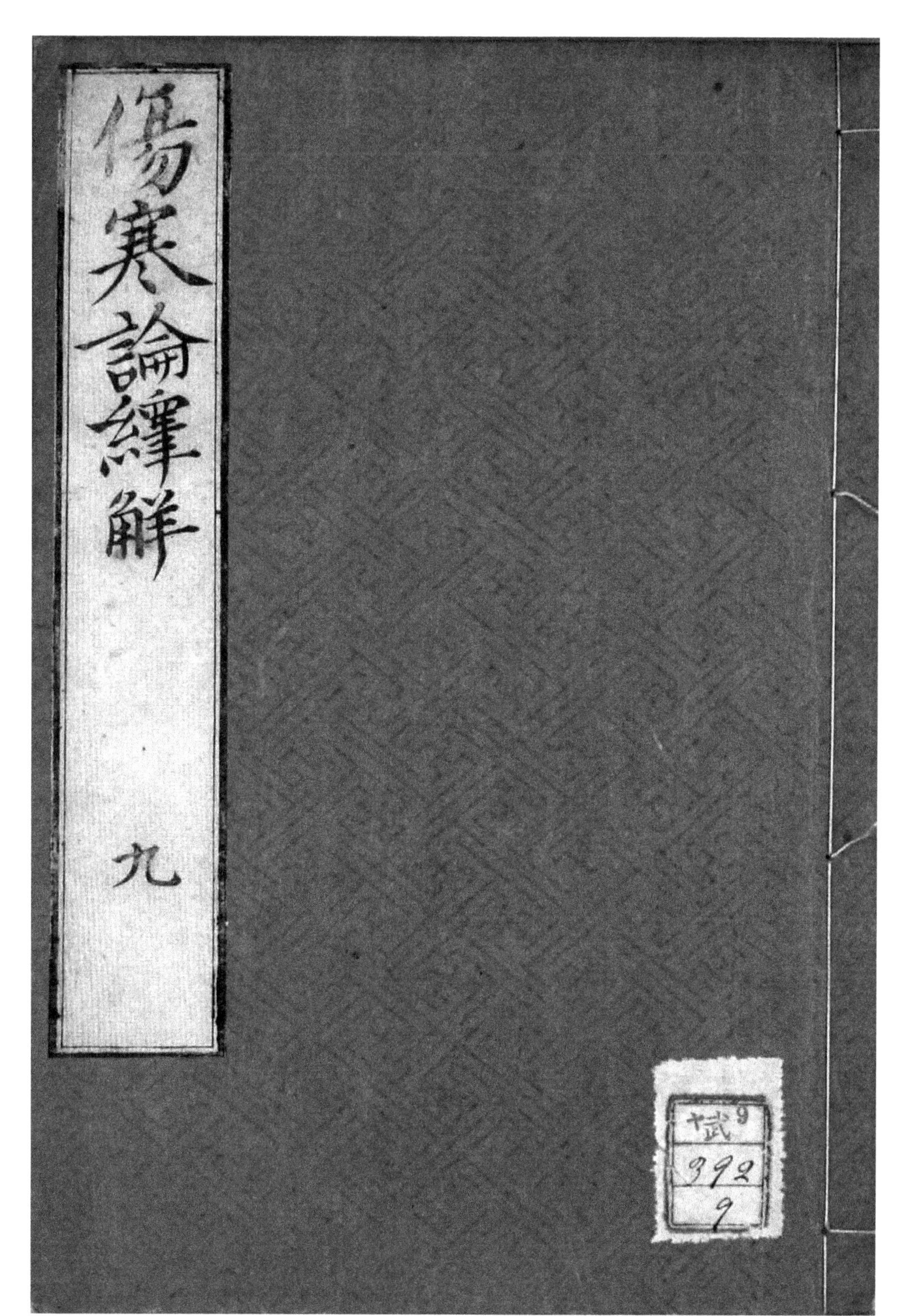
傷寒論繹解
九
ヤ武 9
992
9

辨厥陰病脈證并治第十二。厥利嘔噦附合一十九法方一十六

首。齊按厥陰者。陰氣衰竭之謂也。至眞要大論云。帝曰。厥陰何也。岐伯曰。兩陰交盡也。陰陽繋日月篇云。戌者九月。主右足之厥陰。亥者十月。主左足之厥陰。此兩陰交盡。故曰厥陰。此言左右兩陰交盡。史記倉公傳作蹶陰。字彙云。蹶蹷同。又傾竭也。前漢書食貨志云天下財産。何得不蹷。因知厥陰者。爲陰氣衰竭之謂。或謂以手足厥逆。故名厥陰者。甚非也。何則。素問厥論篇。論六經之厥。本論亦於少陰篇專論厥逆。而於本篇不言厥逆。可以知矣。且夫若以厥逆故名厥陰。則與太少陰陽之名義。亦特異不通。

厥陰病者。陰氣衰竭也。陰氣衰竭者。陽氣亦隨衰。乃寒毒忽壅遏。而氣液不通。故指見消渴。氣上撞心。心中疼熱。飢而不欲食。食則吐

蚘。下之利不止等證。又按厥陰病。亦無自太陽病。及傷寒。直轉屬。其義與少陰同。蓋太陽病。傷寒。有轉屬於太陰。而太陰乃至少陰厥陰。其至厥陰者。則是變之極。而危急莫甚。此矣。最難救療。多死焉。故此篇僅論數章。但明其脈證。以終一篇。後諸四逆厥章以下。傷寒厥利嘔噦病。而固非厥陰病。是故無厥陰名字。及轉屬厥陰之言。玉函經。截諸四逆厥章以下。以為厥利嘔噦病形證治之一篇。原本亦本有厥利嘔噦病一篇也。故有厥利嘔噦附及厥陰病四證厥逆一十九證等之注文。千金翼方目錄厥陰病狀下。亦有附厥利嘔噦之言。以是考之。此後人疑此篇論脈證少且無治方。乃見傷寒厥利嘔噦之似厥陰病。以爲厥陰之所致。而不辨厥陰病傷寒厥利。其因異妄附之於此篇末。改爲一篇也明矣。

厥陰之爲病。消渴。眞陰衰竭。氣液不化。輸而心中熱。因消渴也。氣上撞心。字彙云。撞擣也。謂毒氣上撞心。如撞鐘也。心中疼熱。陰虛生內熱。故毒氣徹心。而疼熱也。飢而不欲食。胃氣空虛。而有蚘。因飢雖飢。以心中熱。故不欲食也。食則吐蚘。食則蚘聞食臭上出也。此胃氣本虛弱。因食穀停滯。而難消化。爲鬱熱蒸腐。乃生蚘也。下之利不止。

若欲除內熱瘀濁而誤下之則胃氣敗絕而下利至死不止故特戒下也晚世爾勞瘵者多發此等之證而死以陰虛生內熱故也

厥陰者陰氣衰竭之謂也。故厥陰受寒邪。則其毒忽壅遏。而氣液不通。陰虛甚。而生內熱。故其爲病。見消渴。氣上撞心。心中疼熱。飢而不欲食。食則吐蚘等證。此厥陰病之總綱。後凡爾厥陰病者。皆由此證。立言以及其變。又按三陽首章。不言熱。三陰首章。不言寒者。蓋以三陽者。熱氣發於表。三陰者。寒邪進於裏。乃三陰三陽名中。自含畜寒熱之義。故不必言也。

厥陰中風脈微浮爲欲愈此折略陰陽二字即與少陰中風脈陽微陰浮相同蓋病理相類也又與太陽中風脈陽浮陰弱陰陽表裏相反不浮爲未愈傷寒直解云王良能曰陽病得陰脈者死不浮未必即是陰脈故止未愈不曰沉而曰不浮下字極活

此於厥陰病中別感邪微鬱熱欲表達其毒進緩者以名爲厥陰中風其脈陽微陰浮者雖厥陰以邪氣極微淺不至消渴氣上撞心心中疼熱等證鬱熱表達而邪氣退故爲欲愈不浮熱氣未表達故爲未愈

厥陰病欲解時從丑至卯上

此更明厥陰病欲解時刻也寅乃三陽生厥陰病

者陰氣衰竭。寒毒壅遏。而損陽極甚。故得丑寅卯陽長之時。則陽復與陰相協和。而欲解也。疑非仲景氏之意。

厥陰病渴欲飲水者。少少與之愈。

此上章所謂厥陰中風脈微浮欲愈之類。而但渴欲飲水。不至消渴之甚者也。故少少與水。則胃氣潤和。乃鬱熱表達。邪氣解散而愈。若多與之。則水停畜。胃氣傷。而必生變矣。故曰少少與之愈。或問曰三陽三陰篇內。論脈證治方。太陽居多。陽明次之。少陽太陰少陰。雖少猶詳具其證治。然今如吾子所說則此篇止四章而不舉其治方且於陽明少陰專論死證此篇首所云之證候最危急而無言死者恐此有脫簡願悉聞其故答曰此經歷年之久乃非必無脫落然此篇論脈證原少也何則凡人常有陽氣盛者謂之太陽有陽氣極盛者謂之陽明有陽氣衰少者謂之少陽有陰氣盛者謂之太陰有陰氣衰少者謂之少陰有陰氣衰竭者謂之厥陰然而陽盛者陰亦隨盛陽極盛者陰亦隨盛陽衰少者陰亦隨衰陰盛者陽亦隨盛陰衰少者陽亦隨衰陰衰竭者陽亦隨衰是元氣爲陽

形體爲陰。而形氣相依爲混合。故其理致固然矣。是故其病狀少陽者。如春氣。太陽者。如夏氣。陽明者。如長夏。太陰者。如秋氣。少陰者。如冬氣。厥陰者。如季冬。此所以陽事升發。陰事斂降也。蓋雖陽盛者。陰亦隨盛。以陽主焉。故自易生熱。雖陰盛者。陽亦隨盛。以陰主焉。故自易生寒。蓋寒生於陰。熱生於陽。而既爲寒。爲熱。則熱能消陰。寒能亡陽。陽亡則陰氣凝結。寒益甚。陰消則陽氣不行。熱彌加。因知寒也熱也。是卽病毒。而非眞陰眞陽也。惟以陰陽協和者。爲眞陰眞陽矣。是以太陽感外邪。則直生熱而表發與邪氣相搏劇而能轉變乃其轉屬陽明少陽太陰者必始于此故太陽論脈證極多治方亦隨多也此陽氣盛大抵常人之所病也陽明受外邪則生熱極甚寒化爲熱熱氣延漫於表裏忽煎熬胃液而成燥結因不速除其毒則有精液枯涸心神憒亂而致死者故陽明舉其證治多且論死也此陽氣極盛也少陽受外邪則熱氣微而難表發但鬱於胸脇因禁發汗吐下故少陽論其證治少也此陽氣衰少也太陰受外邪則其毒徑湊進而熱氣不能表達乃至少陰厥陰故太陰

亦其證治少也。此陰氣盛也。少陰受外邪。則其毒徑入裏。而不熱發。或胃氣爲邪被傷。而寒益王。或胃氣鬱閉。而致熱實。因不急除其毒。則精竭卒死。故少陰其證治稍多。且專論死也。此陰氣衰少也。厥陰受外邪。則其毒忽壅遏。而氣液不通。陰氣凝寒王。陽氣鬱生內熱。乃正邪搏擊不甚。因其機變少。故厥陰舉脈證極少也。此陰氣衰竭也。凡病陰陽盛。形氣强者。正邪搏擊甚。因其證必劇。然其毒易解散。是正能勝邪故也。陰陽衰。形氣弱者。正邪搏擊不甚。因其證不劇。然其毒難解散。是邪勝正故也。要之凡藥石。獨不能立其効。惟賴精氣而得成効也。是故精旣脫者。雖服藥絕無其驗焉。病毒不去也。夫少陽太陰少陰厥陰病者。本是係或稟賦薄弱。或年老虛衰。或他病久虧之人感外邪。然而厥陰其虛最甚。且人之臨死也。莫病毒不急迫於心胸矣。今此篇首所云之。消渴。氣上撞心。心中疼熱。飢而不欲食。食則吐蚘者。是陰氣衰竭而生內熱。毒氣急迫於心胸之所致。而其毒極難除。乃難立其一定必治之方法。故但擧中風欲愈者。而不論其治方也。蓋其毒難速除。則其虛益加。固不欲食。則養生無由。乃遂必死矣。然又見下之利不止。及欲愈。欲飲水者。少少與之愈。則非全無救療之理。故不言其死也。意此唯其意在欲示若斯宜臨機應變施治爾。曰臨機應變之治術。可得聞乎。曰難言矣。惟診視病者。沈思探索。考證治。則猶可得之也。今竊按有少陰篇所論之證治。與此所謂諸證相類者。宜相照以得其意焉矣。少陰篇曰。少陰病。得之二三日以上。心中煩不得臥。黄連阿膠湯主之。少陰病吐利手足逆冷。煩躁欲死者。呉茱萸湯主之。少陰病。下利脈微者。與白通湯。利不止。厥逆無脈乾嘔煩者。白通加猪膽汁湯主之。少陰病四逆。其人或咳或悸。或小便不利。或腹中痛。或泄利下重者。四逆散主之。少陰病下利六七日。咳而嘔渴。心煩不得眠者。猪苓湯主之。是皆陰虛内熱。毒氣上逆心胸之所致。其證治相類者也。因消渴者。猪苓湯。氣上撞心者。呉茱萸湯。心中疼熱者。黄連阿膠湯。腹中飢。而不欲食者。四逆散。若下之利不止者。白通加猪膽汁湯。隨其專所見之證。活用其對證之方。則猶可治矣。其吐蚘者。烏梅丸。其餘博挍麥門冬湯。竹葉石膏湯。柴胡去半夏加括樓根湯。柴胡桂枝乾薑湯。炙甘草湯之類。撰用可。又於少陰篇曰急下之急溫之者。是亦先將至于厥陰之機。救之之意地也。其若脫簡則令無以所可攷知矣。曰以厥陰病其毒難除。乃難立一定之方法。故不論其治方。則此篇無有益於治術者也。無益於治術。則不設之亦可乎。曰否。此本以分三陰三陽。論病證候。故爲明陰氣衰竭者受邪。則其證危急。而病變極於此之義。設此論篇也。曰然則素問所說傷寒一日。巨陽受之。二日陽明受之。三日少陽受之。四日太陰受之。五日少陰受之。六日厥陰受之三陰三陽五藏六府皆受病榮衛不行五藏不通則死之義乎曰本論之所以分三陰三陽論病者蓋以寒邪雖一也因陰陽盛衰其脈證各異故欲區別之耳是故有論三陽三陰各正受邪者有論轉變者於其轉變皆自太陽始而或有轉陽明者或有入少陽者或有屬太陰者而無轉屬少陰厥陰是與素問之專辨經絡六經追日盡受邪至厥陰終之義自有殊別矣誠知乎此又何疑乎問者唯唯而退因記以告同志

諸四逆厥者不可下之虚家亦然（張錫駒曰諸病而凡四逆厥者俱屬

陰寒之證、故不可下、然不特厥逆爲不可下、卽凡屬虛家而不厥逆者亦不可下也、

按玉函此章前有辨厥利嘔噦病形證治第十篇目是也此爲後章傷寒一二日至四五日厥者必發熱前熱者後必厥厥深者熱亦深厥微者熱亦微厥應下之先示諸病四逆厥者不可下之義也蓋傷寒厥者必發熱而其厥深者熱亦深結實因應下之諸病四逆厥者是陰陽虛衰者受外寒或舊寒痼毒動於內陰陽氣爲毒壅不相順接交通之所致而但厥不爲熱實故不可下宜溫散若誤下之則利遂不止精氣脫而死矣此不止厥精氣

既虚人亦然矣或問曰傷寒厥利嘔噦病不入之於三陽三陰篇別立篇次厥陰論之若何答曰傷寒者本太陽病邪氣深劇之一證即太陽篇所謂太陽病或已發熱或未發熱必惡寒體痛嘔逆脈陰陽俱緊者名爲傷寒是也此以邪氣深劇故其病自能爲轉變而其脈證雖變太陽證候苟不罷者尚論之於太陽篇既轉屬陽明者論之於陽明篇轉入少陽者論之於少陽篇屬太陰者論之於太陰篇而無轉屬少陰厥陰故不見少陰厥陰篇內論傷寒者是其脈證懸絕故也此厥利嘔噦者

傷寒變證之殊異者。而既不關三陽。但類三陰。然發熱者。此非三陰之證。是故不入之於三陽三陰篇。別爲一篇。次厥陰論之。令以辨其疑類也。

傷寒先厥後發熱而利者。必自止。見厥復利。此謂先厥之時。下利者。發熱。而必自止也。非發熱而後利也。故曰見厥復利。

此章爲後厥利諸變。先辨厥熱勝復利止復利也。言傷寒。邪氣徑湊犯而壅遏。裏氣格。而不能達於四末。因先厥。乃鬱極後發熱。而下利者。寒邪爲發熱退。故利必自止。熱氣散。而寒邪進。見厥者。復利。

按長兼善曰。三陰傷寒。太陰爲始。則手足溫。少陰則手足清。厥陰則手足厥逆。然病至厥陰。乃陰之極也。故反有發熱之理。蓋陽極則陰生。陰極則陽生。此陰陽推盪必然之理也。易云窮則變。窮者至極之謂也。陽至極而生陰。故陽病有厥冷之證。陰至極。而生陽。則厥逆者。有發熱之條。凡言厥深熱亦深者。乃事之極。而變之常。經曰。亢則害。承乃制也。此說不知以厥利嘔噦病。附厥陰。係乎後人所爲之繆。惟以傷寒厥發熱。爲厥陰之證候。因遂及陽極則陰生。陰極則陽生之義。甚非也。何則少陰篇。專論厥逆。而不見云清。厥陰病。亦應有厥逆。然不必見。故不言厥逆矣。且夫陽病有厥冷證。非陽至極。而生陰。是傷寒。邪氣壅遏。裏氣格不能四達。便爲厥也。厥逆者有發熱。非陰至極。而生陽。是裏氣爲邪壅鬱生熱。熱極而表發也。蓋傷寒者。本太陽病之一證。故雖厥逆。猶能發熱也。固非厥陰陰氣衰竭。寒毒忽壅遏。但心中疼熱。而不發熱之比也。是故傷寒厥。則有可下者。論曰。厥應下之。於厥陰。則不可下。故曰。下之利不止。可見病因證候自異矣。其餘注家。亦大抵如張兼善之說。而爲以厥逆故名厥陰之義。殊不知名義之所起矣。自後人一繆以來皆因循而不辨其非一犬吠虛萬犬隨吠雖名者實之賓而不可拘泥然亦有紡病因脈證者則不可不正之也傷寒論析義諸四逆厥章注釋云此章以下至篇末玉函別爲一篇題曰辨厥利嘔噦病宋板篇題目下曰厥利嘔噦附因按此章以卒無復冠厥陰病者則玉函爲優當從正珍亦疑此篇乃玉函爲是此可謂卓見

傷寒始發熱六日厥反九日而利發熱六日厥六日則厥熱相應今厥九日是厥過三日故曰反凡厥利者當不能食今反能食者恐爲除中一云消中柯琴曰除中則中空無陽反見善食之狀俗云食祿將盡者是也食以索

餅不發熱者。知胃氣尚在。必愈。錢潢曰。索餅者。疑即今之條子麪。及饊子之類。取其易化也。傷寒論輯義有詳說。恐暴熱來出而復去也。此與上文恐爲除中相應。後日脈之。其熱續在者。期之旦日夜半愈。玉函後日間有三字。是脈之。猶言診之。此依上文云必愈。更明其愈之期。所以然者。本發熱六日。厥反九日。後發熱三日。幷前六日。亦爲九日。與厥相應。故期之旦日夜半愈。所以然以下。言旦日夜半愈之由。後三日脈之。而脈數。其熱不罷者。此爲熱氣有餘。必發癰膿也。魏荔彤曰。凡言日。皆約略之辭。如此九日之說。亦未可拘。總以熱與厥。較其均平耳。如熱七八日。厥七八日亦可。熱五六日。厥五六日。俱可。不過較量其陰陽盛衰。非定謂必熱九日。厥九日。方可驗準也。

此承前章厥利。而論因厥利除中者。及熱氣有餘。

發癰膿者也。言傷寒始發熱六日。厥反九日而利者。寒氣有餘也。凡厥利者。寒盛於內。而胃氣傷損。當不能食。今反能食者。恐胃氣既脱。而食自入也。故爲除中。因試令食索餅之易消化。以溫養之。而不發熱者。知胃氣尚在。而能食也。故必愈。恐暴熱來出。而復去。是此除中。乃得索餅。而虛熱乍浮越。乍復去也。卽與脈暴出而忽絶者意同。必死矣。後三日脈之。其熱不去。續在者。此非除中。乃得索餅。而胃氣復。寒邪退。故期之旦日夜半愈。所以然者。本發熱六日。厥反九日。復發熱三日。幷前六日。亦爲九日。與厥相應故期之旦日夜半陽生長之時則陽氣漸盛而陰寒退乃得愈後三日脈之而脈數其熱不罷者厥九日熱反十二日此熱氣有餘乃眞陰爲枯燥熱氣之所過血液凝滯必發癰膿也論曰數脈不時則生惡瘡此之謂也

傷寒脈遲六七日而反與黃芩湯徹其熱脈遲爲寒今與黃芩湯復除其熱腹中應冷當不能食今反能食此名除中必死。汪琥曰。又脈遲云云者。是申明除其熱之誤也。程應旄曰。上條脈數此條脈遲是題中二眼目。

此更論不因厥利反與黃芩湯徹其熱致除中者

也。前章云。脈數爲熱。氣有餘。此章云。傷寒脈遲爲寒。六七日。則寒邪既盛於裏。而熱氣微也。此當溫散裏寒。而反與黄芩湯。徹其熱。因寒益王。腹中應冷。腹中冷者。不能消化食穀。乃當不能食。而今反能食者。胃氣既脫去。而乍覺空。欲引食以自救也。故名除中。必死。或問曰。上文不言熱。而突然曰徹其熱者何也。曰傷寒者。必惡寒而發熱。故也。論曰。太陽病。或已發熱。或未發熱。必惡寒。卽是也。玩味其曰未發熱。可以知其定爲熱矣。熱論云。人之傷於寒也。則爲病熱。蓋亦此意。今傷寒脈遲。六七日。

寒盛於裏而其爲熱也微耳又問黃芩湯者治太
陽少陽合病自下利者之方也然吾子此爲不因
厥利若無下利則據何以與之乎曰黃芩湯其功
在能除微熱鬱結於胸腹者乃醫惟思其除熱誤
與之於脈遲寒甚者以徹其熱故曰反也夫太陽
少陽合病自下利者主黃芩湯以治之則仲景氏
之妙用而粗工之所曾不知也若苟識之則致如
經文所言之誤治邪曰然則如黃芩湯世醫所嘗
知之方邪曰然矣夫若桂枝湯葛根湯麻黃湯大
小青龍大小柴胡大小陷胸三承氣白虎四逆眞

武附子。十棗。五苓。猪苓。建中。理中。越婢。抵當。瓜蒂。白通。瀉心。黄連。及此湯之類。是皆古方。而世粗所知也。故本論中。有單稱桂枝證。柴胡證。及傷寒服湯藥。下利不止。心下痞鞕。服瀉心湯已。復以他藥下之。利不止。醫以理中與之。利益甚之言。若悉出於仲景氏之意。則豈有單稱謂醫與理中謬之理哉。但若一二加減之諸方。及甘草乾薑芍藥甘草。乾薑附子等湯。枚舉藥名。以爲方名之類。則是皆出於仲景氏臨時製作也。是所以有作甘草乾薑湯。作芍藥甘草湯之言也。

傷寒。先厥後發熱。下利必自止。而反汗出。咽中痛者。其喉爲痺。此曰後發熱。下利必自止。則先厥時。下利也。可得知矣。傷寒。邪氣壅遏正氣。而先厥利者。後發熱。亦應汗出。而出。故曰反。不發熱無汗。而利必止。若不止。必便膿血。便膿血者。其喉不痺。

此依前傷寒先厥章。而論之也。言傷寒。先厥後發熱。下利必自止。而反汗出者。熱氣上逆。劇腠理爲之疎開故也。汗出者。氣液虛耗。而毒氣急迫於咽喉。氣血凝結。因咽中痛。其喉爲痺也。發熱無汗。而利必自止。若不止者。雖發熱。邪氣尚滚進。腸胃不和。血液瘀滯。爲熱腐敗。必便膿血也。便膿血者。毒氣下泄。因其喉不痺。喉不痺者。咽中亦不痛也。可推知矣。又按以上三章。雖爲臨病知其機變之候法。然以理推之甚者也。恐非仲景氏之舊論。故今以傷寒一二日之章。直接傷寒先厥章讀。

傷寒一二日。至四五日。厥者。必發熱。前熱者。後必厥。厥深者。熱亦深。厥微者。熱亦微。厥應下之。而反發汗者。必口傷爛赤。

此對前章諸四逆厥者。不可下。而言傷寒厥者。應下。遂及發汗之逆變。深戒之。互明治術之機要。乃爲後論厥熱諸證之地。此言厥熱前後。故曰一二日至四五日傷寒邪氣深劇徑入裏而壅遏陰陽氣爲之不順接先陽氣格於内而厥者後鬱熱極必發於表若前發熱者發熱之熱升散而後寒邪進復壅遏而必厥也少陰厥陰之厥逆者但厥而無發熱是所以與傷寒厥自異也蓋厥深劇者鬱熱亦深厥微淺者鬱熱亦微也傷寒一二日至四五日法當發汗然見厥者邪氣既深結於裏之所致因雖發熱應下之也故於發汗曰反若謬發汗者徒津液亡而胃熱逆上必生口傷爛赤之變夫諸病四逆厥者是陰陽虛衰者受寒邪或舊寒痼

毒動於內陰陽氣不相順接之所致而但厥不熱實因不可下應溫散之故禁下也傷寒厥者必發熱厥深者熱亦深結實故曰應下而戒發汗也蓋傷寒雖厥必發熱者其本出於太陽病故也吳氏曰經云諸四逆者不可下之至此又云應下最宜詳審先賢謂熱厥手足雖厥冷而或有溫時手足雖逆冷而手足掌心必煖戴院使又以指甲之煖冷別熱寒二厥臨病之工愼之

傷寒病厥五日熱亦五日設六日當復厥不厥者自愈厥終不過五日以熱五日故知自愈喻昌曰厥終不過五日以

下三句卽上句之注脚

此承前章傷寒先厥後發熱而利者必自止見厥復利而更明傷寒厥熱相應者自愈之義也言先病厥五日爲寒勝而後陽氣復發熱亦五日設六日當復厥而不厥者爲陽全勝乃邪氣退陰陽自和而自愈厥終不過五日以熱五日厥熱相應故知自愈此亦以理推者也

凡厥者陰陽氣不相順接便爲厥字彙云接相續也交也厥與瘚同氣逆也字典云瘚又作蹷扁鵲傳暴蹷注氣從下蹷起上行外及心脇也厥者手足逆冷者是也

按厥論云黃帝問曰厥之寒熱者何也岐伯對曰陽氣衰於下則爲寒厥陰氣衰於下則爲熱厥今此章曰凡厥者謂傷寒寒熱諸厥也陰陽氣不相順接便爲厥厥者言厥之所因也厥者手足逆冷是也言厥之外候也蓋傷寒厥者寒邪劇忽深犯致厥而本以陽氣盛故必發熱因病人乍寒乍熱厥深者熱亦深厥微者熱亦微也寒厥者以陽氣衰故陰氣凝生寒因病人自覺其冷但厥而無熱熱厥者以陰氣衰故陽氣鬱生內熱因病人自不覺其冷反苦五心煩熱要之皆因爲邪壅氣血錯行

逆逼於心胸而竭於四末故曰凡厥者陰陽氣不相順接便爲厥也凡人之四肢温和爲順乃不温和爲逆今氣血厥逆手足冷故更釋之曰厥者手足逆冷者是也

傷寒脈微而厥寒毒壅遏陽氣不能四達故也至七八日膚冷此自前傷寒一二日至四五日說來而言厥極深至七八日及膚冷者也其人躁無暫安時者此爲藏厥非蚘厥也寒毒遂入藏中乃正氣不勝之唯鬱結於裏因令躁無暫安時故此爲藏厥也蓋蚘厥亦甚則至爲膚冷而大有疑藏厥因此章欲論蚘厥而先舉藏厥之病狀故曰此爲藏厥非蚘厥也不爾則曰非蚘厥也者屬突出蚘厥者有蚘而胃中寒則蚘動上入膈乃膈氣錯亂陰陽氣不順接便厥故曰蚘厥其人當吐蚘令病者靜而復時

煩者。此與躁無暫安時相照。以辨別藏厥蚘厥之狀。此為藏寒蚘上入其膈。故煩。內藤希哲玉函類編云。此為藏寒蚘上入其膈故煩。十一字為一句。為字去聲。又云。藏寒者。胃寒也。古書有指府為藏者。不可拘泥也。須臾復止。得食而嘔。又煩者。蚘聞食臭出。其人當自吐蚘。其人當吐蚘以下。言蚘厥病狀也。此本有蚘者。為外寒。藏中寒。因蚘不安於胃中。上入其膈。故膈氣錯亂。心悶而煩。須臾復下降。則煩止。得食則蚘聞食臭出。故嘔。又煩。其人當自吐蚘。蚘厥者。烏梅丸主之。傷寒論析義云。此藏厥蚘厥並論。故方名上更以蚘厥起文。又主久利。方玉函無又主久利四字。千金翼為細注。按此後人以此丸治久利有驗。乃傍書者。遂混本文也。

烏梅三百枚　細辛六兩　乾薑十兩　黃連十六兩。玉函作一觔。成本作一兩。按十六兩。恐是十兩之譌。　當歸四兩　附子六兩炮去皮　蜀椒四兩出汗

桂枝去皮六兩　人參六兩　黃蘗六兩

右十味，異擣篩合治之，以苦酒漬烏梅一宿，去核，蒸之五斗米下，飯熟擣成泥，和藥令相得，內臼中，與蜜杵二千下，丸如梧桐子大，先食飲服十丸，日三服，稍加至二十丸，禁生冷滑物臭食等。王丞：五斗作五升。按蚘者，生於水熱相蒸，食穀難消化，因最宜禁生冷滑物臭食等，故再言以切之焉。

此章詳言藏厥蚘厥之證候，以辨其疑途，蚘厥者，爲烏梅丸之所主治也，藏厥不舉其治方者，此主論蚘厥故也，蓋藏厥者，厥之極深劇者也，此猶屬厥深者，熱亦深，厥應下之治例歟，然恐是死證，千金翼非蚘厥也四字。作死一字。亦非全無其謂矣。

傷寒。熱少微厥。玉函作厥微。是也。今從之。此前指一章所謂厥微者。熱亦微者也。作稍頭寒。厥微止指頭寒。嘿嘿不欲食煩躁。厥微熱亦微。乃但鬱於胸脇故也。數日小便利色白者。此熱除也。金鑑云。數日者。猶曰連日也。濟按邪熱鬱於裏者。水液爲熱被升蒸。因當小便赤不利。而小便利色白者。是經日之間。熱除水液自下降也。欲得食。其病爲愈。初不欲食者。至此欲得食者。胃氣已和也。熱除胃和。陰陽自平。所以其病爲愈也。若厥而嘔。胸脇煩滿者。其後必便血。此言厥濬。熱濬者也。故更下厥字。若厥而嘔。胸脇煩滿者。是厥濬胸脇鬱熱亦濬。而滿悶也。此不速除之。則邪熱日增劇。而犯於腸胃。敗爲厥不行之血液。數日後必便血。熱氣有餘也。

此章曰熱除者。非自除。曰其後必便血者。因不得其治而變之意然則其際應有治方也而不言之者此欲惟明厥熱之淺深劇易乃如其治方令照之于他以知也今私按熱少厥微指頭寒嘿嘿不欲食煩躁是小柴胡湯之所宜得湯則其熱必除矣厥而嘔胸脇煩滿是大柴胡湯證若不與大柴胡湯則其後必便血矣宜互考隨證施治

病者手足厥冷言我不結胸小腹滿按之痛者此冷結在膀胱關元也成本小作少按膀胱者府而關元者穴名乃連言者有疑矣故正珍解之曰關元上當有當灸二字後云傷寒脈促手足厥逆者可灸之又云下利手足厥冷無脈者灸之甲乙經云關元在臍下三寸刺入二寸留七呼灸七壯又云胞轉小腹滿關元主之又云奔豚寒氣入小腹

時欲嘔關元主之合而考之脫簡無疑此似是然辨不可下篇云寒在關元金匱婦人雜病篇云或結熱中痛在關元據之則正珍所說未允當因意此謂冷結滲在乎關元穴之腹裏膀胱腎藏之元處也故以不結胸起證可併見以知矣

金鑑云病者手足厥冷言我不結胸是謂大腹不滿而惟小腹滿按之痛也論中有小腹滿按之痛小便自利者是血結膀胱證小便不利者是水結膀胱證手足熱小便赤澀者是熱結膀胱證此則手足冷小便數而白知是冷結膀胱證也濟按此對前章而論諸四逆厥者之一證也言傷寒厥滲者熱亦滲鬱結於胸脇乃致胸脇煩滿其熱犯腸

胃則必便血今病者手足厥冷少腹滿按之痛者非傷寒厥此寒冷痼毒結在膀胱關元其毒動壅遏元陽也卽寒疝之類治法宜溫散矣曰不結胸者非全斥結胸證是欲明胸脇無熱結惟冷結在少腹中之義也

傷寒發熱四日厥反三日復熱四日厥少熱多者其病當愈四日至七日熱不除者必便膿血（千金翼後下有發字）

（玉函便作清成本必上有其後二字）

此接前傷寒熱少厥微章而繫之日數詳辨厥熱多少明便膿血之所由也寒邪徑進而壅遏陰陽

氣爲之不順接陽鬱生熱陰凝爲寒鬱極發於表則熱寒進襲陽則厥今先發熱者陽熱勝寒邪也發熱四日則厥亦應四日而反三日復發熱四日蓋厥少者寒退熱多者陽氣進遂全勝寒故其病爲當愈若四日之熱至七日不除者熱氣過多也雖發熱多病當愈然熱氣過多者反復損傷眞陰乃血液腐敗而流滲於腸胃其後必便膿血也

傷寒厥四日熱反三日復厥五日其病爲進寒多熱少陽氣退故爲進也

此對前章而論其相反者也傷寒先厥者寒勝陽

也。厥四日。則熱亦應四日。而反三日。復厥五日。蓋陽氣者。從內出於外。故不能達外爲退。寒邪者。從外犯入於內。故行內爲進。今寒厥多。發熱少。是寒邪行內而陽氣退。故爲進也。寒多以下。上文之注脚。又按二章。亦屬以理推者。而寒熱勝復進退之機。則固然矣。乃備一候法可。

傷寒六七日。脈微。手足厥冷。煩躁。灸厥陰。厥不還者死。汪琥曰。可灸太衝穴。以太衝二穴。爲足厥陰脈之所注。穴在足大指下後二寸。或一寸半陷中。

此承前章傷寒。脈微而厥。至七八日膚冷。其人躁無暫安時。而論之也。言雖脈微。手足厥冷。未至膚冷。煩躁者。是猶鬱氣將發於外之兆也。乃宜灸厥陰。溫散寒毒而復陽。灸之厥還而發熱者。有生理若厥不還者。寒邪益進。而犯藏中。正不勝而死矣。

傷寒發熱。下利厥逆。躁不得臥者死。此就前煩躁言但躁者。蓋煩躁者。鬱熱將表發而與邪氣相拒爭之所致。故得治法之宜。則猶可生。不煩而躁者。寒邪進正氣不堪之所致。故死。況躁不得臥者乎。所以斷曰死也。

此承前章傷寒。先厥後發熱而利者。必自止而論之也。言發熱下利當止而下利厥逆。躁不得臥者。是雖發熱。寒毒盛於裏。而正不堪邪也。故死矣。所謂表熱裏寒之劇者也。

傷寒發熱下利至甚厥不止者死。見云下利至甚厥不止則不發熱前既有下利厥證也可得知矣玉函此章無

此章更論厥利必死之一證也。言傷寒發熱則鬱陽既達於外乃寒邪退。厥利當自止而反下利至甚厥不止者。是寒盛而胃氣虛脫也。雖發熱非陽氣回復之發熱。故亦主死也。

傷寒六七日。不利便發熱而利。其人汗出不止者死。不利間恐脫下字玉函作不便利忽發熱而利有陰無陽故也。無陽謂胃氣虛脫而無衛陽也方有執曰發熱而利裏陰內盛也故曰有陰汗出不止表陽外絕也故曰無陽

此承前傷寒六七日。脈微章。而論之也。蓋六七日

邪氣入裏之時。脈微手足厥冷。煩躁者。陽氣爲邪壅鬱。生熱。熱氣將表發。而難發也。因灸厥陰。厥還發熱者。猶有生理矣。今六七日。不下利。便發熱而利。其人汗出不止者。寒毒盛於裏。胃氣脫。鬱熱暴發。腠理踈開。而外失衛護也。其死必矣。故曰有陰無陽故也。又按傷寒發熱者。鬱陽敗。邪圍而外發。乃正勝邪也。是此爲吉兆。然亦發熱而至死者。有三證。一在躁不得臥。一在厥不止。一在汗出不止。此卽胃氣爲寒邪虛脫。暴熱來出。而復去之熱也。故三章並論。以明其義焉。豈可不審辨乎。

傷寒五六日。不結胸。腹濡脈虛。春暉曰。邪雖塞。而陽微。故腹不鞕滿。血虛。故脈不實。復厥者。不可下。此亡血。下之死。玉函。此下。有爲字。

此承前章厥應下。而明傷寒厥。不可下之一異證也。論曰。傷寒六七日。結胸熱實。脈沈緊。心下痛。按之石鞕者。大陷胸湯主之。此五六日。而不結胸。雖不結胸。復厥者。熱深於裏。則應下之。而今腹濡脈虛者。雖邪熱深。此其人本亡血。因不結實於內。故不可下。若誤下之。則腹氣脫而死。

發熱而厥。七日下利者。爲難治。發上。玉函。有傷寒二字。是。原本無。脫落也。

惟忠曰。前條曰。傷寒六七日。不利。便發熱而利。其人汗出不止者死。此言雖其不汗出者亦難治也。

張思聰曰。上文五節言熱。言厥。言下利。或病六七日。或病五六日。此節乃通承上文死證之意。而言發熱而厥。至七日。而猶然下利者。病雖未死。亦爲難治。上文言死證之已見。此言未死之先機。

傷寒脉促。手足厥逆。可灸之。促一作縱。按玉函。逆下。有者字。是。脉經。灸之下。有爲可灸少陰厥陰主四逆十字。

此復承前傷寒六七日。脉微章。而論之也。蓋脉微手足厥冷而煩躁者。鬱氣將表發之候。論曰。脉促者。表未解也。今脉促手足厥逆者。表邪未解。鬱氣將發之診。故互明脈證。以示俱施灸可溫散寒毒。使鬱陽表達也。喻昌曰。傷寒脈促則陽氣跼蹐可知。更加手足厥逆。其陽必爲陰所格拒。而不能返。故宜灸以通其陽也。

傷寒脈滑而厥者。裏有熱。玉函熱下有也字是。白虎湯主之。方

知母六兩 石膏一斤碎綿裹 甘草二兩炙 粳米六合

右四味。以水一斗。煑米熟湯成。去滓。溫服一升。日三服。

此承前章。而更論傷寒脈滑而厥者之治方也。蓋寒邪入裏而壅遏。陽氣鬱生熱。熱氣欲發。而以邪

壅甚故不能發因但脉滑而厥乃無餘證之可見
故推之其脉法斷曰裏有熱以確實爲白虎湯之
所主治也此與傷寒脉浮滑此以表有熱裏有熱
文義同又按傷寒厥者應下然若煩躁若脉促若
脉滑者雖厥滾熱亦滾未結實於胃家有猶欲表
發之機是故或灸之以溫散表寒或與白虎湯以
解散裏熱則邪熱表達而愈此又對前章傷寒脉
微而厥而彼論至七八日寒毒既入藏中厥亦極
滾者也宜併考以知寒熱虛實矣金鑑云傷寒脉
微細身無熱小便清白而厥者是寒虛厥也當溫

之脉乍緊身無熱胸滿煩而厥者是寒實厥也當吐之脉實大小便閉腹滿鞕痛而厥者熱實厥也當下之今脉滑而厥滑爲陽脉裏熱可知是熱厥也然内無腹滿痛不大便之證是雖有熱而裏未實不可下而可清故以白虎湯主之活人書云熱厥者初中病必身熱頭痛外別有陽證至二三日乃至四五日方發厥其熱厥者厥至半日卻身熱蓋熱氣深則方能發厥須在二三日後也若微厥卽發熱者熱微故也其脉雖沉伏按之而滑爲裏有熱其人或畏熱或飲水或揚手擲足煩躁不得

眠。大便祕。小便赤。外證多昏憒者。知其熱厥白虎湯。又有下證悉具而見四逆者。是失下後血氣不通四肢便厥。醫人不識。卻疑是陰厥復進熱藥禍如反掌。大抵熱厥須脈沉伏而滑。頭上有汗。其手雖冷。時復指爪溫。須便用承氣湯下之。不可拘忌也。二說能辨寒熱厥證治者也。

手足厥寒。脈細欲絕者。恐手足上。脫病人二字。即與後章病人手足厥冷。脈乍緊文例同。又不見他單曰者。則其脫明矣。春暉曰。血液舊虛。故雖微邪。亦能阻隔表裏。當歸四逆湯主之方

當歸三兩 桂枝三兩去皮 芍藥三兩 細辛三兩 甘草二兩炙

通草二兩　大棗二十五枚擘一法十二枚此是

右七味。以水八升。煮取三升。去滓。溫服一升。日三服。

惟忠曰。此蓋寒厥之輕者也。假之微冷。而其人自覺其寒。此謂之厥寒也。與夫假之厥冷。而其人不必自覺者。自有間也。且不下利。但其脈細欲絕。則與夫下利厥逆。脈微欲絕者。大有間也。於是今作之劑也。桂枝湯。而去生薑。加當歸細辛通草者也。豈可同四逆湯而視之哉。亦猶熱厥之輕者。而有四逆散之類也。

若其人內有久寒者。此言上文之脈證。而若其人內有久寒者也。乃對微寒在於外而曰內有久寒。久寒者。謂寒水瘀濁之久不去凝結者也。即前章所謂冷結在膀胱關元之類。宜當

歸四逆加吳茱萸生薑湯方

當歸三兩　芍藥三兩　甘草二兩炙　通草二兩　桂枝三兩去皮

細辛三兩　生薑半斤切　茱萸二升玉函作吳茱萸二兩　大棗二十五枚擘

右九味以水六升清酒六升和煮取五升去滓溫分五服一方水酒各四升按玉函作右九味㕮咀以水四升清酒四升煮取三升去滓溫服一升日三溫分二字轉倒錢潢曰以清酒扶助其陽氣流通其血脈也

此承前病者手足厥冷章且對傷寒脈滑而厥者裏有熱而論其人本下虛水氣難分利因血液虛耗而不榮外乃雖微觸外寒忽陰陽氣不相順接便致手足厥寒脈細欲絕者及若水液凝結內有久寒者之治方也此脈證大似通脈四逆湯證手足厥逆脈微欲絕然手足厥逆脈微欲絕者是陽虛甚寒毒盛於裏之所致故專溫散裏寒而復其

陽。此手足厥寒。脈細欲絕者。是血液虛耗。乃爲外寒凝結。邪氣尚在於外。而病人自覺其寒冷者也。故主當歸四逆湯。以專散外邪解血液凝結。若其人內有久寒者。其毒爲外邪。被觸動。衝逆胸脇下。而致滿悶欲嘔等證。因加吳茱萸生薑。以兼降散久寒逆氣矣。又宜併考吳茱萸湯及溫經湯證。以知其意。夫冷結在膀胱關元者。其毒動。則必衝逆胸脇下。亦正同。

大汗出。熱不去。內拘急。四肢疼。此章。恐脫傷寒冒首也。不爾則曰大汗出。熱不去者。突出。義竟不可解矣。內拘急。謂腹裏拘急極深也。四肢疼。亦拘急而疼也。脈經。疼作痛。又

下利厥逆而惡寒者。四逆湯主之之方

甘草二兩炙 乾薑一兩半 附子一枚生用去皮破八片

右三味。以水三升。煑取一升二合。去滓。分溫再服。若强人可用大附子一枚。乾薑三兩。

此亦對傷寒脈滑章而論之。以辨寒熱疑途也。蓋脈滑者。雖厥裏有熱。白虎湯。此傷寒邪氣淩鬱熱暴發。皮腠開。大汗出。而熱不去。乃致內拘急。四肢疼之變。是眞武湯證。太陽病發汗。汗出不解。其人仍發熱之類。今又寒毒內陷。而下利。故加又字。以別之矣。大汗出。而又下利。表裏俱虛。而寒毒主。乃

裏氣不達於外故厥逆而惡寒此前所謂手足厥寒之甚也因爲四逆湯之所主治也

大汗若大下利而厥冷者玉函汗下有出字是大汗下折略厥冷二字成無己曰大汗大下利內外雖殊其亡津液損陽氣則一也四逆湯主之

此即前章而申明大汗出亡陽甚寒邪進厥冷者若寒邪徑入裏胃氣潰敗大下利而厥冷者汗下雖殊亡陽寒王而在乎裏則一也故並四逆湯主之也玉函此下有二章云表熱裏寒者脈雖沉而遲手足微厥下利清穀此裏寒也所以陰證亦有發熱者此表熱也表寒裏熱者脈必滑身厥舌乾

也。所以少陰惡寒而踡。此表寒也。時時自煩。不欲厚衣。此裏熱也。

病人手足厥冷。脈乍緊者。邪結在胸中。心下滿而煩。飢不能食者。病在胸中。上文云邪結在胸中。而更曰病在胸中者。亦雖心下滿而煩。飢不能食者。腹中無病。惟在乎胸中。以確實當須吐也當須吐之。雖病在胸中。心下滿而煩者。於吐法。有所宜斟酌。故曰當須吐之。宜瓜蔕散方。

瓜蔕　赤小豆

右二味。各等分。異擣篩。合內臼中。更治之。別以香豉一合。用熱湯七合。煑作稀糜。去滓。取汁和散一錢匕。溫頓服之。不吐者少少加。得快吐乃止。諸亡血虛家。

不可與瓜蔕散。

此對前章手足厥寒脈細欲絶而論病人手足厥冷脈乍緊者之治方也成無己曰手足厥冷邪氣內陷也脈緊牢者爲實邪氣入府則脈沉今脈乍緊知邪結在胸中爲實故心下滿而煩胃中無邪則喜饑以病在胸中雖饑而不能食與瓜蔕散以吐胸中之邪正珍曰係邪氣實于上焦陽氣爲是所閉塞而不能通達四末之證非清穀下利脈微欲絶之寒厥也故吐以瓜蔕散以達其鬱閉也

傷寒厥而心下悸宜先治水當服茯苓甘草湯卻治

其厥不爾水漬入胃必作利也字彙云漬浸也玉函悸下有者字服作與

茯苓甘草湯方

茯苓二兩玉函三兩　甘草一兩炙　生薑三兩切　桂枝二兩去皮

右四味以水四升煑取二升去滓分溫三服

此依前章病人手足厥冷心下滿而煩辨傷寒邪氣壅遏裏氣不通便厥而心下有水悸者之治法先後也錢潢曰金匱云水停心下甚者則悸太陽篇有飲水多者心下必悸此二語雖皆仲景本文然此條並不言飲水蓋以傷寒見厥則陰寒在裏裏寒則胃氣不行水液不布必停蓄于心下阻絕

氣道所以築築然而悸動。故宜先治其水。當服茯苓甘草湯。以滲利之。然後却與治厥之藥。不爾則水液既不流行。必漸漬入胃。寒厥之邪在裏。胃陽不守。必下走而作利也。正珍曰。素問標本病傳論云。小大不利治其標。今此條先行其水。而後治厥。蓋取諸標者也。

傷寒六七日。大下後。寸脈沉而遲。手足厥逆。下部脈不至。按決死生論篇。論脈三部九候。頭脈爲上部。手脈爲中部。足脈爲下部。今此章曰寸脈者。中部手寸口脈。乃兼關尺言也。所謂下部脈者。即足脈也。但寸脈見沉遲。而下部脈不至者。下虛甚。而毒氣逆。壹著乎上部故也。喉咽不利。唾膿血。泄利不止者。爲難治。玉函

喉咽。作咽喉。麻黄升麻湯主之。方

麻黄二兩半去節　升麻一兩一分　當歸一兩一分。玉函作升當歸各一兩六銖。

知母十八銖　黄芩十八銖　萎蕤十八銖。一作菖蒲。　芍藥六銖

天門冬六銖去心。千金翼作麥門冬去心。注云。一作天門冬。　桂枝六銖去皮

茯苓六銖　甘草六銖炙　石膏六銖碎綿裹　白朮六銖　乾薑六銖

右十四味。以水一斗。先煮麻黄一兩沸。去上沫。內諸藥。煮取三升。去滓。分溫三服。相去如炊三斗米頃。令盡。此言促令服盡也。汗出愈。玉函相去以下。作一飯間。當出汗愈七字。千金翼作相去一炊間。當汗出愈。外臺引小品。載本方。方後云。此張仲景傷寒論方。

此章言傷寒六七日。邪熱實於裏。乃下之。其證既

除。但以大下之。故氣液暴虛。餘邪逆著於咽喉。血液凝結。因致寸脉沉而遲。手足厥逆。下部脉不至。喉咽不利。唾膿血。下後續泄利不止之變。此邪氣雖減。精氣甚虛。故爲難治也。猶主麻黃升麻湯。以解鬱熱。潤血燥。和氣液。則汗出。餘邪散而愈矣。又按此疑非仲景氏之舊論。

傷寒四五日。腹中痛。若轉氣下趣少腹者。轉氣者。謂腸間水穀鬱氣運轉也。字彙云。說文。趣疾也。又指意也。又趣向也。此欲自利也。方有執曰。腹中痛轉氣下趣少腹者。裏虛不能守。而寒邪下迫也。

此承前章水漬入胃。必作利。而更言欲自利之先機也。傷寒四五日。邪氣將犯裏之時。腹中痛。若轉氣下趣少腹者。腸間水穀渣滓。爲外寒觸動。欲自利之候也。魏荔彤曰。此重在預防下利。而非辨寒熱也。玩若字欲字。可見其辨寒熱者。自有別法。

傷寒。本自寒下。醫復吐下之。寒格。寒下。對熱利之言。金鑑云。經曰。格則吐逆。格者。吐逆之病名也。更逆吐下。若食入口即吐。乾薑黃芩黃連人參湯。主之。方

乾薑　黃芩　黃連　人參

右四味。以水六升。煮取二升。去滓。分溫再服。惟忠曰。按甘草瀉心湯曰。醫見心下痞。謂病不盡。復下之。其痞益甚。與此略同。惟彼則乾嘔心煩。此則食入口即吐。見其

勢更甚。此之爲異已。於是乎去其甘草半夏大棗。增黄連二兩。名乾薑黄連黄芩人參湯。救其吐下。且其煎煮之法。亦不同也。可以參考矣。

此章言傷寒邪氣犯裏。水穀被觸動。而本自寒下。是當溫散。而醫復妄吐下之。因裏寒拒格於心下。而更逆吐下。若食入口即吐者。是心胸痞塞甚。而熱氣鬱結也。故乾薑黄芩黄連人參湯主之。以急逐裏寒。解痞熱。通氣液矣。

下利有微熱而渴。脈弱者。今自愈。全書。令作今。是。玉函。無今字。

金鑑云。下利有大熱而渴。脈强者。乃邪熱俱盛也。今下利。有微熱而渴。脈弱者。是邪熱衰也。邪熱既衰。故可令自愈也。

下利脈數。有微熱汗出。令自愈。設復緊。爲未解。一云設脈浮復緊。全書今作令。玉函作者。

前章及此章。論熱利之輕者也。下利渴者。下利脈數者。俱屬裏熱。然外有微熱。脈弱者。又汗出者。是邪氣衰。正氣復之候。故並曰令自愈。設復緊。邪氣淩劇。故爲未解。二章疑王叔和之補語。

下利手足厥冷。無脈者。灸之不温。若脈不還。反微喘者死。玉函。若作而字。

惟忠曰。下利手足厥冷。無脈者。蓋四逆湯證也。既而與之翼之以灸而手足不溫脈不還不唯不見其效加以微喘故曰反旣加以微喘之益危未如之何已故曰死。

少陰負趺陽者爲順也。陽明篇云互相剋賊名爲負也。

此即前章下利而言下利少陰脈負趺陽脈者爲順也成無己曰少陰腎水趺陽脾土下利爲腎邪于脾水不勝土則爲微邪故爲順也。

下利寸脈反浮數尺中自濇者必清膿血。按清膿血之清與清血之清同清與圊通之義乃便膿血之謂也此與清便清穀之清自異矣。

此承前章下利脈數有微熱汗出令自愈設復緊

爲未解。而明下利熱氣有餘之脈證也。成無己曰。下利者。脈當沉而遲。反浮數者。裏有熱也。濇爲無血。尺中自濇者。腸胃血散也。隨利下。必便膿血。清與圊通。脈經曰。清者。厠也。此說是。又按右二章。蓋叔和之補敘。

下利清穀。不可攻表。汗出必脹滿。玉函。表上有其字。

此承前下利手足厥冷章。而明裏寒下利有表證者之治例也。蓋所以下利清穀不可攻表。當救其裏者。夫水穀者精氣之原。神之所成也。靈樞平人絕穀篇云。神者水穀之精氣也。又天年篇云。失神者死。得神者生。今下利清穀者。雖飲食入口。化輸之不暇。飲食不化。則精氣不生。精氣不生。則百骸失溫養。百骸失溫養。則形氣衰竭。神滅而死焉。其急莫甚之矣。因雖有表證。當救其裏。爲急務也。標本病傳論云。先泄而後生他病者。治其本。必且調之。乃治其他病。此之謂也。正珍曰。下利清穀裏寒爲甚。可與四逆湯溫之。雖有表證。不可發汗。汗出則表裏俱虛。而中氣不能宣通。故令人脹滿。亦四逆湯證也。宜與後下利腹脹滿條參考。

下利脈沉弦者。下重也。脈大者。爲未止。脈微弱數者。

爲欲自止。雖發熱、不死。王函、無也字。

成無己曰。沉爲在裏。弦爲拘急。裏氣不足。是主下重。大則病進。此利未止。脈微弱數者。邪氣微而陽氣復。爲欲自止。雖發熱。止由陽勝。非大逆也。

下利脈沉而遲。其人面少赤。身有微熱。傷寒論輯義引傷寒緒論云、大抵陽邪在表之怫鬱、必面合赤色。而手足自溫。若陰證虛陽上泛。而戴陽。面雖赤。足脛必冷。不可但見面赤、便以爲熱也。下利清穀者。必鬱冒汗出而解。病人必微厥。汪琥曰、病人必微厥者、此指未汗出鬱冒之時而言。所以然者。其面戴陽。下虛故也。

此就前章下利清穀。不可攻表。汗出必脹滿。而更論下利清穀鬱冒汗出而解者也。下利脈沉而遲。裏寒也。其人面少赤。身有微熱。虛陽格於外鬱生熱。熱氣上衝熏其面也。是通脈四逆湯所謂其人面色赤之微者也。下利清穀。腸胃爲寒。失運養之職。乃雖飲食入口。化之不暇。直下泄魄門也。必鬱冒汗出而解。病人必微厥。所以然者。其面戴陽。下虛故也。下利清穀者。虛陽益逆而鬱冒。鬱極表發。汗出而解。病人下虛裏寒。必微厥也。面戴陽謂面赤鬱冒。下虛謂下利清穀微厥。此明其所由也。今下利清穀必鬱冒汗出而解者。蓋以厥熱俱微脈

亦不至微欲絕。但上盛下虛。正能勝邪故也。然而
此非不須藥解。故不曰自解。
下利脈數。而渴者。今自愈。設不差。必清膿血。以有熱
故也。全書。今作令。
此承下利脈數有微熱。及下利寸脈反浮數二章。
而論之。更明清膿血之所因也。言下利脈數而渴
者。陽熱勝陰寒。故今自愈。設不差。熱氣有餘。遂腐
敗血液。乃隨下利。必清膿血也。又按以上三章。疑
非仲景氏之舊論。
下利後脈絕。手足厥冷。晬時脈還。手足溫者生。脈不

還者死。玉函、不還下有不溫二字。是

此承前下利手足厥冷無脈章而舉下利止後脈絕手足厥冷者以辨死生也。成無己曰。下利後脈絕手足厥冷者。無陽也。晬時。周時也。周時厥愈脈出。為陽氣復則生。若手足不溫脈不還者。為陽氣絕則死。

傷寒下利日十餘行。脈反實者死。千金翼無此章。

此承前章而論之。玉機眞藏論曰。泄而脈大。脫血而脈實。皆難治。今傷寒下利日十餘行。正氣虛也。其脈當虛弱而反實者。邪氣盛實也。此乃正虛邪實故亦爲死兆矣。難經云。脈不應病。病不應脈。是爲死病。此之謂也。

下利清穀。裏寒外熱。汗出而厥者。傷寒論輯義云。吳人駒曰。有協熱下利者。亦完穀不化。乃邪熱不殺穀。其別在脈之陰陽虛實之不同。今驗之小兒此最多。通脈四逆湯主之方

甘草二兩炙　附子大者一枚生去皮破八片　乾薑三兩強人可四兩

右三味。以水三升。煑取一升二合。去滓。分溫再服。其脈卽出者愈。

此承前章所謂。下利清穀。不可攻表。汗出必脹滿。而更論下利清穀。裏寒外熱。汗出而厥者。乃出治

方也。按論曰。少陰病。下利清穀。裏寒外熱。手足厥逆。脈微欲絶。身反不惡寒。其人面色赤。或腹痛。或乾嘔。或咽痛。或利止脈不出者。通脈四逆湯主之。是亦正與此同。但彼少陰。故雖外熱無汗。此則傷寒。邪氣忽內陷。胃氣爲之頽敗之所致。而陰氣不甚衰。陽氣亦尚能得通。故隨外熱汗出。然汗出而厥者。是因汗氣液亡。寒毒益盛於裏也。乃雖有汗出無汗之異。亦爲此湯之所主治也。

熱利下重者。白頭翁湯主之方

白頭翁二兩。玉函作三兩。　黃蘗三兩　黃連三兩　秦皮三兩右四味。以水七升。煮取二升。去滓。溫服一升。不愈更服一升。金匱。更服下。無一升二字。

此次傷寒厥利而論熱利也。熱利下重者。是邪熱內攻。與水穀宿滯相搏而下泄。裏液虛耗。熱氣奔迫於廣腸肛門重滯。而大便難通利也。故白頭翁湯。以清解邪熱。潤暢腸胃。則瘀纖快通。而下利止矣。又按此章。當在於下利欲飲水章上。不爾則篇次不聯屬。恐此錯簡。

下利腹脹滿。身體疼痛者。先溫其裏。乃攻其表。此不曰救。而曰溫者。欲令知腹脹滿因寒發也。曰攻者。對前章不可攻表而言也。溫裏宜四逆湯。

攻表宜桂枝湯

桂枝湯方

桂枝三兩去皮　芍藥三兩　甘草二兩炙　生薑三兩切　大棗十二枚擘

右三味以水七升煑取三升去滓溫服一升須臾歠熱稀粥一升以助藥力

此亦承前不可攻表而論宜先溫裏乃攻表者也下利腹脹滿身體疼痛者是寒邪在表裏而內外隔絕氣不宣通也因先溫散其裏寒裏寒去乃攻其表邪表邪解則內外氣通表裏諧和而愈溫裏宜四逆湯攻表宜桂枝湯今身體疼痛而與桂枝

湯者何蓋裏寒甚而下利腹脹滿或吐利或下利清穀者雖其證除而調和不宜發汗若大汗出亡陽則更生新病必至不救矣乃若斯當消息和解其外故也霍亂篇云吐利止而身痛不休者當消息和解其外宜桂枝湯小和之即是也又按此章所論與傷寒醫下之續得下利清穀不止身疼痛類而彼因誤下表邪及裏胃氣暴虛甚續得下利清穀不止身疼痛此外寒深犯及裏其人胃氣本虛弱而不得宣通因下利腹脹滿身體疼痛蓋清穀脹滿大異然於裏寒則一也故治例歸一矣古

人活用之妙可見焉。

下利欲飲水者。以有熱故也。此裏液燥、熱氣伏、而不顯於表、乃必欲飲水、推知之、故曰有熱也。正珍曰、飲水二字、指渴而言。水字泛言飲物、訓為冷水、非也。按下利飲水、多是內有熱邪所致、間亦有津液內竭而然者、或大汗後、或大下若大吐後、或疽瘡灌膿後、往往有之、概為熱邪所致非也。又因所飲之冷熱以辨其虛實、亦非也。白頭翁湯主之。千金翼無此章。

錢潢曰。此又申上文熱利之見證。以證其為果有熱者。必若此治法也。夫渴與不渴。乃有熱無熱之大分別也。裏無熱邪。口必不渴。設或口乾。乃下焦無火。氣液不得蒸騰。致口無津液耳。然雖渴亦不能多飲。若胃果熱燥。自當渴欲飲水。此必然之理也。寧有裏無熱邪而能飲水者乎。仲景恐人之不能辨也。故又設此條。以曉之曰。下利渴欲飲水者。以有熱故也。白頭翁湯主之。羅天益曰。少陰自利而渴。乃下焦虛寒。而用四逆者。恐不可以渴不渴。分熱寒也。正當以小便黃白別之耳。

下利讝語者。有燥屎也。汪琥曰。要之。此證須以手按臍腹。當必堅痛。方爲有燥屎之徵。宜小承氣湯方

大黃四兩酒洗　枳實三枚炙　厚朴二兩去皮炙

右三味。以水四升。煑取一升二合。去滓。分二服。初一服讝語止。若更衣者。停後服。不爾盡服之。

按金鑑云其下利之物必稠粘臭穢知熱與宿糞相蒸而爲之也此可决其有燥屎也於此推之可知燥屎不在大便鞕與不鞕而在裏之急與不急便之臭與不臭也是也蓋前章言下利宿糞瘀水而熱氣不去裏液虛耗而不至胃實故以欲飲水爲有熱之徵此章所云乃邪熱淩蒸水穀宿糞但下利瘀水而宿糞不下遂乾涸成燥屎熱氣結實穢氣上騰而胃氣不和因發譫語故就譫語令知有燥屎以爲小承氣湯之所宜矣論曰下利不欲食者以有宿食故也當下之宜大承氣湯今下利

譫語有燥屎者。而與小承氣湯何。蓋燥屎者。宿糞之乾涸者。乃下利有燥屎者。必在於腸間也。故不欲大下。仍用小承氣湯。胃氣和。則譫語止。更衣。則燥屎除。故方後曰。初一服譫語止。若更衣者。停後服。夫宿食者。食物不化。停滯於胃中者也。故以不欲食。為之證候。此既失傳送之機。因不速下之。則後食不入。其變有至死。故曰。當下之。宜大承氣湯。

下利後更煩。按之心下濡者。為虛煩也。方有執曰。更煩。本有煩。不為利除。而轉甚也。宜梔子豉湯方。

肥梔子十四箇擘　香豉四合綿裹

右二味以水四升先煮梔子取二升半內豉更煮取一升半去滓分再服一服得吐止後服

此承前章下利有燥屎而論之也蓋下利止後更煩者似有宿滯之當去而按之心下濡者是因下利瘀毒除但裏虛餘邪逆窒胸中之所致故爲虛煩也宜梔子豉湯以微吐矣

嘔家有癰膿者不可治嘔膿盡自愈

此爲後章論諸嘔先舉有癰膿而嘔之一異證以示不可治嘔俟膿盡乃自愈之義也正珍曰明萬表萬氏家抄云試肺癰法凡人胸中隱隱疼咳嗽

有臭痰吐在水內沉者是癰證浮者是痰醫學入門云肺癰咳唾膿血腥臭置之水中則沉此試肺癰之法亦不可不知矣

嘔而脈弱小便復利身有微熱見厥者難治四逆湯主之復重復加重於嘔之謂

按嘔而脈弱者胃氣虛弱而裏寒逆也裏液爲熱枯涸者則以小便利爲猶可治之候今裏寒逆嘔者小便應不利而復利者下虛甚而膀胱不約也故以小便利反爲惡證身有微熱見厥者是爲裏寒陰陽氣不相順接乃陽氣格於外生熱陰氣凝

於內便厥寒毒益盛精氣益衰之所致故爲難治急溫散寒毒則猶可治四逆湯主之少陰篇云膈上有寒飲乾嘔者不可吐也當溫之宜四逆湯正與此同意宜併考

乾嘔吐涎沫頭痛者張錫駒曰成氏云嘔者有聲者也吐者吐出其物也故有乾嘔而無乾吐今乾嘔吐涎沫者涎沫隨嘔而吐出也吳茱萸湯主之方

吳茱萸一升湯洗七遍　人參三兩　大棗十二枚擘　生薑六兩切

右四味以水七升煮取二升去滓溫服七合日三服

按頭痛發熱汗出惡風乾嘔者邪氣在表桂枝湯之所主也今乾嘔吐涎沫頭痛者寒飲濁氣衝逆

心胸劇故也。此與十棗湯證之頭痛相類。因吳茱萸湯主之，以降散寒飲逆氣矣。張璐玉曰：凡用吳茱萸湯，有三證。一爲陽明食穀欲嘔，一爲少陰吐利，手足厥冷，煩躁欲死，此則乾嘔吐涎沫頭痛，經絡證候各殊，而治則一者，總之下焦濁陰之氣，上乘於胸中清陽之界，眞氣反鬱在下，不得安其本位，有時欲上，不能，但衝動濁氣，所以乾嘔吐涎沫也。正珍曰：此證也，今世所謂痰厥頭痛者。

嘔而發熱者，小柴胡湯主之。方

柴胡八兩　黃芩三兩　人參三兩　甘草三兩炙　生薑三兩切

半夏半升洗　大棗十二枚擘

右七味，以水一斗二升，煮取六升，去滓，更煎取三升，溫服一升，日三服。玉函，此章在嘔而脈弱章上，是

此對嘔而脈弱章而論熱嘔，交明其治也。此即傷寒五六日，嘔而發熱者，柴胡湯證具之意，今以論嘔，故省略而再舉之，定爲小柴胡湯之所主治也。

傷寒，大吐大下之，極虛，復極汗者，其人外氣怫鬱，復與之水，以發其汗，因得噦，所以然者，胃中寒冷故也。

玉函，極汗下有出字，其人上有以字，並是

錢潢曰，傷寒而大吐大下，則胃中陽氣極虛矣。復

極汗出者。非又汗之而極出也。因大吐大下之後。眞陽已虛。衛外之陽。不能固密。所以復極汗出。乃陽虛而汗出也。愚醫尚未達其義。以其人外氣怫鬱。本是虛陽外越。疑是表邪未解。復與之煖水。以發其汗。因而得噦。噦者。呃逆也。其所以噦者。蓋因吐下後。陽氣極虛。胃中寒冷。不能運行其水耳。水壅胃中。中氣遏絕。氣逆而作呃逆也。傷寒宗印云。此章與辨脈篇之醫不知。而反飲冷水。令汗大出。水得寒氣。冷必相搏。其人即䭇。大意相同。

傷寒。噦而腹滿。視其前後。知何部不利。利之即愈。千金

翼滿下有者字節作則王函視作問並是成無己曰噦而腹滿氣上而不下也視其前後部有不利者節利之以降其氣前部小便也後部大便也

按論中不舉治噦之方此章亦但曰問其前後知何部不利利之則愈者蓋傷寒噦者從得諸逆治或熱實久失下或小便不利乃胃氣逆得之矣是故噦而腹滿者不拘噦問其前後知何部不利利之則腹滿除逆氣下降噦隨止活人書云前部宜猪苓湯後部宜調胃承氣湯

傷寒論繹解卷第六畢

傷寒論繹解
十
試 9
392
10止

傷寒論繹解卷第七

平安　柳田濟子和　著

辨霍亂病脈證并治第十三

合六法。方六首。字典霍字注云。揮霍

猝遽也。前漢書。嚴助傳。夏月暑時。歐泄霍亂之疾。

按病源候論云。霍亂者。人溫凉不調。陰陽淸濁二氣。有相干亂之時。其亂在於腸胃之間者。因遇飮食而變發。則心腹絞痛。其有先心痛者。先吐。先腹痛者。則先痢。心腹並痛者。則吐痢俱發。霍亂。言其病揮霍之間。便致撩亂也。張錫駒曰。霍者。忽也。謂邪氣忽然而至。防備不及正氣爲之倉忙錯亂也二説是也蓋霍亂者揮霍撩亂之謂也此病外感邪氣而內傷飲食生冷過度因邪氣徑湊犯而三焦氣忽亂失其職清濁二氣相干乃卒然發吐利汗出頭痛發熱身疼痛惡寒四肢拘急手足厥冷等證是最急故名霍亂也緣亦次傷寒厥利嘔噦病而論之也

問曰病有霍亂者何答曰嘔吐而利此名霍亂

霍亂者以嘔吐下利爲主證乃先救裏爲專務矣故嘔吐而利此名霍亂也

問曰病發熱頭痛身疼惡寒吐利者此屬何病答曰此名霍亂霍亂自吐下又利止復更發熱也脈經身下有體字惡寒下有而復二字自吐下以下作吐利止而復發熱者八字是

此承前章以詳出其內外證也蓋病發熱頭痛身體痛惡寒者大類傷寒而復卒然吐利者非止外感兼飲食內傷也故此名霍亂也因吐利腸胃之宿滞除吐利止則胃氣復熱氣發而與外邪相搏是爲邪壅精氣暴虛之所致而非漸虛故也故更明其義曰霍亂吐利止而復發熱也方有執曰發熱頭痛身疼惡寒外寒也吐利內傷也上以病名

求病證此以病證實病名反覆詳明之意

傷寒其脈微濇者本是霍亂今是傷寒卻四五日至陰經上轉入陰必利脈經上轉作陽轉利上有吐字並是本嘔下利者不可治也欲似玉函作似欲是大便而反失氣放屁也仍不利者此屬陽明也便必鞕十三日愈所以然者經盡故也下利後當便鞕鞕則能食者愈者字上折略能食二字今反不能食到後經中頗能食復過一經能食過之一日當愈不愈者不屬陽明也

金鑑云此承上條辨發熱頭痛身疼惡寒吐利等證爲類傷寒之義也若有前證而脈浮緊是傷寒

也。今脈微濇。本是霍亂也。然霍亂初病。即有吐利。傷寒。吐利卻在四五日後。邪傳入陰經之時。始吐利也。此本是霍亂之即嘔吐。即下利。故不可作傷寒治之。俟之自止也。若止後。似欲大便而去空氣。仍不大便。此屬陽明也。然屬陽明者。大便必鞕。雖大便鞕。乃傷津液之鞕。未可下也。當俟至十三日經盡。胃和。津回便利。自可愈矣。若過十三日。大便不利。爲之過經不解。下之可也。下利後。腸胃空虛。津液匱乏。當大便鞕。鞕則能食者。是爲胃氣復。至十三日。津回便利。自當愈也。今反不能食。是爲未復侯到十三日後過經之日若頗食亦當愈也如其不愈是爲當愈不愈也當愈不愈者則可知不屬十三日過經便鞕之陽明當屬吐利後胃中虛寒不食之陽明或屬吐利後胃中虛燥之陽明也此則非藥不可侯之終不能自愈也理中脾約擇而用之可矣濟按以上三章疑非仲景氏之舊論意此王叔和爲論霍亂者暴急吐利之病及類傷寒之義追論之也

惡寒脈微（一作按千金翼注云一作緩）而復利利止亡血也（此欲論眞陰虛損甚故曰亡血也玉函云水竭則無血卽此意）四逆加人參湯主之方

甘草二兩炙　附子一枚生去皮破八片　乾薑一兩半　人參一兩

右四味以水三升煮取一升二合去滓分溫再服

按此章恐錯簡今移之於吐利汗出發熱惡寒四肢拘急手足厥逆章後看則義甚明矣言吐利止而身痛不休者裏寒宿滯除而外邪未解也乃宜桂枝湯惡寒脈微而復利利止者是因吐利汗出眞陰虛竭寒毒逆痞結於心下氣液不通故也故爲亡血乃四逆加人參湯主之以溫散寒毒解心下痞結通氣液矣

霍亂頭痛發熱身疼痛熱多欲飲水者五苓散主之

寒多不用水者理中丸主之（千金翼身下有體字）

五苓散方

猪苓（去皮）　白朮　茯苓（各十八銖）　桂枝（半兩去皮）　澤瀉（一兩六銖）

右五味爲散更治之白飲和服方寸匕日三服多飲煖水汗出愈

理中丸方（下有作湯加減法玉函作理中圓及湯方）

人參　乾薑　甘草（炙）　白朮（各三兩）

右四味擣篩蜜和爲丸如雞子黃許大以沸湯數合和一丸研碎溫服之日三四夜二服腹中未熱益至三四丸然不及湯湯法以四物依兩數切用水八升

煮取三升去滓温服一升日三服玉函節下有爲末二字無子許二字日三四之四字作服惟忠曰丸作湯名理中湯金匱又名人參湯治胸痺心中痞留氣結在胸脇下逆搶心者是方全同證大異矣本論又加桂技四兩名桂技人參湯治恊熱而利心下痞鞕表裏不解者是方少異證頗同矣當參考已若臍上築者腎氣動也去朮加桂四兩臍上築言臍上築築然而跳動也腎氣動明其病源也是所謂腎積奔豚欲氣從少腹上衝心也因去朮加桂以專低衝氣論曰發汗後其人臍下悸者欲作奔豚茯苓桂技甘草大棗湯主之此之類吐多者去朮加生薑三兩吐多者寒飲湊於胸中塞胃口故也因去朮加生薑以專治吐下多者還用朮下多者胃氣弱水氣不分利故也因還用朮以專治下利千金翼還作復注復一作倍近是悸者加茯苓二兩悸者水氣聚滯而阻腹氣故也因加茯苓以治渴欲得水者加朮足前成四兩半渴欲得水者水飲停畜不分利乃眞

（陰燥故也。因加朮以專分利水氣。）腹中痛者，加人參足前成四兩半。（腹中痛者，腹氣與水飲結結，痞鞕而痛也。因加人參以專解痞鞕，通氣液。人參湯證云：腸下逆搶心之類。）寒者，加乾薑足前成四兩半。（寒，腹中寒也。是寒毒結聚甚也。因加乾薑以專溫散裏寒。）腹滿者，去朮加附子一枚。（腹滿者，裏寒更甚，腹氣爲之不行故也。因加附子以兼逐裏寒。論曰：下利腹脹滿，溫裏宜四逆湯之類。）服湯後，如食頃，飲熱粥一升許，微自溫，勿發揭衣被。（食頃，須臾之意。說文云：揭，高舉也。言服湯後須臾飲熱粥，以溫胃氣，助藥力，外覆衣被，以溫身避風寒，故曰微自溫，勿發揭衣被。按諸方設加減法，皆就或證而言之，獨此方無或證而設之。今審考其法，諸方並有對證者，又有否者。）

霍亂者，卒然吐利之病名也。此章乃篇首，論其正證，故冠霍亂名字，以略吐利，而舉表證裏證，詳辨寒熱治方而下及其變也因次章以下皆單曰吐利既吐且利吐利止吐已下斷今頭痛發熱身體疼痛者吐利後邪氣尚在於表也熱者發熱也熱多非太多之謂此對寒多而言也是因吐利裏寒宿滯雖除裏液暴虛而熱多渴欲飲水小便不利者邪熱及下焦氣液不化輸也主五苓散以令汗出則表裏俱解氣液宣通小便利諸證悉去愈寒者裏寒也寒多亦非太多之謂對熱多而言也寒多不用水者是因吐利亡陽胃虛乃寒邪深犯於裏也理中丸主之以溫散裏寒則吐利止胃氣復

愈於五苓散則多飲煖水於理中湯則飲熱粥一升許亦可以知津液熱燥胃氣虛寒矣又按晩世以卒欲吐利而不吐利胸腹滿痛四肢厥逆煩悶欲死者名乾霍亂然此則中惡宿食病之一證而治法宜速吐下以除其毒否則多致暴死矣是但以煩悶躁擾命霍亂之名也乃與此篇以卒吐利爲霍亂之義大左矣

吐利止而身痛不休者千金翼身下有體字當消息和解其外宜桂枝湯小和之方 方有執曰消息猶斟酌也小和言少少與服不令過度之意也

桂枝三兩去皮 芍藥三兩 生薑三兩 甘草二兩炙 大棗十二枚擘

右五味以水七升煮取三升去滓溫服一升
此章以下皆就上章而論其諸變故略霍亂名字直舉其證候而言之此乃承前章霍亂頭痛發熱身體疼痛熱多欲飲水者而更明吐利止而身體痛不休者之治方也言霍亂裏寒宿滯除吐利止則身體痛亦應休而不休者外邪未解也此雖身體痛吐利後大發汗則更亡表陽故當消息和解其外宜桂枝湯小和之也又按裏寒除胃氣復而熱多若身體痛不休者則易愈服五苓桂枝即治故其論之也少而止焉吐利亡陽裏寒王胃氣益

虛而寒多者則難治故次章以下皆就夫寒多者而立論詳辨其證治矣

吐利汗出發熱惡寒四肢拘急手足厥冷者四逆湯主之方

甘草二兩炙 乾薑一兩半 附子一枚生去皮破八片

右三味以水三升煮取一升二合去滓分溫再服強人可大附子一枚乾薑三兩

此承前章寒多不用水者而論寒毒一等滾劇者也言寒邪滾進與裏寒宿滯相搏因胃氣忽頹敗而內外失守衞卒然吐利汗出鬱氣浮越而發熱

今雖發熱。然惡寒。四肢拘急。手足厥冷者。寒毒在於內外。而血液凝結。筋脈不利。氣逆甚之所致。此非理中湯之所可救。故四逆湯主之。以急溫散寒毒。而復其陽矣。又按霍亂病脈證。與少陰病脈證。大同而少異矣。蓋霍亂病者。外感邪氣。而內傷飲食。乃邪氣與宿滯相搏。胃氣暴虛之所爲。而非如少陰病。其人本陰陽虛衰。而受外邪也。因少陰無發熱汗出之證。而有邪熱內實者。霍亂有發熱汗出之證。而無熱實矣。此雖有發熱汗出之異。然於裏寒則一也。故治方亦有同者也。且霍亂者極暴急其變革在旦夕故不言日數少陰雖急劇比霍亂則自緩也故係日數以論之是所以稱名霍亂也不可不詳辨別焉方有執曰少陰證云惡寒身踡而利手足厥冷者不治又云下利惡寒而踡臥手足溫者可治此之吐利汗出四肢拘急手足厥冷而用四逆治之者以有發熱一證也發熱爲陽未盡亡猶是病人生機故經又曰吐利手足不逆冷反發熱者不死

既吐且利小便復利而大汗出此欲示寒邪益進陽氣彌退之狀故曰既吐且利小便復利而大汗出也吳人駒曰既吐且利而大汗出則泄路盡開而小便又復利云復利者反

不欲其利而收藏之地也為下利清穀。內寒外熱。脈微欲絕者。內腸胃內也內寒者謂寒毒極深結裹於內也外熱與發熱稍異矣發熱者鬱熱發於表也外熱者陽氣格于外而生熱不能發表也四逆湯主之。謹按疑四逆上脫通脈二字也何則脈微欲絕者是通脈四逆湯之目的故凡論通脈四逆則必以脈微欲絕者為證候且上文所舉之諸證寒毒極甚非四逆湯之所能及也若此脈證而主四逆湯則以何等之脈證配于通脈四逆乎脫通脈二字也可得知矣

此承吐利汗出發熱惡寒章而論寒毒又一等深劇者也。言寒邪暴急。胃氣頹敗。三焦撩亂殊甚。泄路盡開。而失衛護。卒然吐利。小便復利。而大汗出。寒毒益王於內。而下利清穀。眞陰枯涸。孤陽格于外而生熱。脈微欲絕者。精氣將脫之候。此固非四

逆湯之所可及乃通脉四逆湯之證矣又按夫惡寒脉微而復利利止亡血也是承前章吐利汗出發熱惡寒四肢拘急手足厥冷者四逆湯主之而申明四逆加人參湯證後章吐已下斷汗出而厥四肢拘急不解脉微欲絶者是承此通脉四逆湯證而更明通脉四逆加猪膽汁湯若斯則編次順而文義通曉也亦足以爲通脉二字脫之徵矣

吐已下斷汗出而厥四肢拘急不解上章云四肢拘急甚而不解也脉微欲絶者通脉四逆加猪膽湯主之方玉函膽下有汁字是

甘草二兩炙　乾薑三兩強人可四兩玉函強人以下無　附子大者一枚生去皮破

八片。猪膽汁半合。玉函作四合。

右四味。以水三升。煮取一升二合。去滓。內猪膽汁。分溫再服。其脉卽來。無猪膽。以羊膽代之。以諸獸膽性相近。故云爾。

此承前吐利汗出發熱惡寒四肢拘急手足厥冷及前章而論之也。今吐已下斷。似裏寒宿滯除。胃氣和。然汗出而厥。四肢拘急不解。脉微欲絕者。是上焦之停滯除。而吐已。而下焦之寒邪未全去。毒氣衝逆。甚痞塞於心下。而氣不下降。因寒毒結聚於中焦。而下斷也。仍於通脉四逆湯方內。加猪膽汁。兼通痞塞矣。此與前惡寒。脉微而復利。利止亡血也。四逆加人參湯主之。粗同病理。又少陰證云。利不止。厥逆無脈。乾嘔煩者。白通加猪膽汁湯主之。卽與此類。宜併考。

吐利發汗。吐利止。發汗之略言也。玉函發汗下有後字是。脈平小煩者。以新虛不勝穀氣故也。脈平。脈復常之謂。新虛。言邪除胃氣未復也。魏荔彤曰。吐利可此尤爲素日胃氣有餘。而病邪輕微之効也。但餘小煩。乃胃氣暴爲吐下所虛。非素虛。乃新虛也。胃既新虛。仍與以舊日之穀數。則穀氣多于胃氣。所以不勝穀氣而作小煩也。

此自前章吐利止而身痛不休者。當消息和解其外宜桂枝湯連續來。故曰吐利發汗也。言吐利止。而外邪未解。乃發汗表亦和。諸證解後脈亦和平。

而徂小煩者。是因吐利。胃氣新虛。不勝穀氣。飲食易停滯故也。此不須藥治。唯減飲食。靜養則胃氣復。必自愈。千金云。霍亂務在溫和將息。若冷卽遍體轉筋。凡此病定。一日不食爲佳。蓋霍亂者。以胃氣傷損爲主。意故以此章結一篇。

辨陰陽易差後勞復病脉證并治第十四 合六法。方六首。

字彙云。易夷益切。音亦。交易也。差。病瘳也。勞。疲也。勤也。復。重復。再也。

金鑑云。傷寒新愈。起居作勞。因而復病。謂之勞復。强食穀食。因而復病。謂之食復。男女交接復而自病。謂之房勞復。男女交接。相易爲

病謂之陰陽易謂男傳不病之女女傳不病之男有如交易也蓋因其人新差餘邪伏於藏府未經悉解故犯之輒復也

傷寒陰陽易之爲病其人身體重少氣少腹裏急或引陰中拘急熱上衝胸頭重不欲舉眼中生花花一作䀮膝脛拘急者陰前陰也眼中生花謂眼前見如黑白花者散亂也玉函生花下有眼胞赤三字膝脛骨節也脛胻脛也此與傷寒新差餘邪尚在之人強交接精液脫虛而感受其邪熱因毒氣忽上衝氣血散亂乃致身體重以下之劇證也燒褌散主之方

婦人中褌近隱處取燒作灰

右一味水服方寸匕日三服小便卽利陰頭微腫此

爲愈矣。玉函取作剪無作字水作以水和三字小便即利陰頭微腫者是精氣復毒氣下降而欲去之候爲愈矣。故婦人病取男子褌燒服。時珍曰褌亦作裩褻衣也以渾復爲之故曰褌其當隱處者爲襠縫合者爲袴短者爲犢鼻犢鼻穴名也在膝下正珍曰治法宜以小建中湯爲主焉古人用燒褌散治之者何也褌之近隱處乃男女精血所流漓薰染取以用之直是以精補精已

成無己曰。大病新差血氣未復餘熱未盡強合陰陽得病者名曰易男子新病差未平復而婦人與之交得病名曰陽易婦人新病差未平復男子與之交得病名曰陰易以陰陽相感動其餘毒相染著如換易也。其人病身體重少氣者損動眞氣也。少腹裏急引陰中拘攣膝脛拘急陰氣極也。熱上

衝胸頭重不欲舉眼中生花者感動之毒所易之氣薰蒸於上也與燒褌散以道陰氣又千金云婦人温病雖瘥未若平復血脉未和尚有熱毒而與之交接得病者名爲陰易之病其人身體重熱上衝胸頭重不能舉眼中生眵瞜四肢拘急小腹絞痛手足拳皆卽死其亦有不卽死者病苦小腹裏急熱上衝胸頭重不欲舉百節解離經脉緩弱血氣虛骨髓竭便嘘嘘吸吸氣力轉少著床不能動搖起止仰人或引歲月方死醫者張苗說有婢得病瘥後數日有六人姦之皆死又論勞復云病新

瘥後但得食糜粥寧少食令飢愼勿飽不得他有所食雖思之勿與之也引日轉久可漸食羊肉白糜若羹汁雉兎鹿肉不可食豬狗肉也新瘥後當靜臥愼勿早起梳頭洗面非但體勞亦不可多言語用心使意勞煩凡此皆令人勞復故督郵顧子獻得病已瘥未健詣華敷視脉曰雖瘥尚虛未得復陽氣不足愼勿勞事餘勞尚可女勞則死當吐舌數寸其婦聞其夫瘥從百餘里來省之經宿交接中間三日發熱口噤臨死舌出數寸而死病新瘥未滿百日氣力未平復而以房室者略無不死

有士蓋正者。疾愈後六十日已能行射獵。以房室。即吐涎而死。及熱病房室。名為陰陽易之病。皆難治多死。近者有一士大夫。小得傷寒。瘥已十餘日。能乘馬行來。自謂平復。以房室。即小腹急痛。手足拘攣而死。濟按依以上諸說。則傷寒差後房室。其既病者死。其傳染者亦死矣。豈可不慎戒哉。但此至用燒褌散。則未知有効否。惟隨其證。施治為善。

大病差後。勞復者。枳實梔子湯主之。方

枳實三枚炙　梔子十四箇擘　豉一升綿裹

右三味。以清漿水七升。空煮取四升。内枳實梔子。煮取二升下豉更煮五六沸去滓溫分再服覆令微似汗（玉函下豉作內豉溫分作分溫）若有宿食者內大黃如博碁子五六枚服之愈（千金云碁子大小如方寸匕又博碁子長二寸方一寸）

大病者總言病毒甚者也勞復謂因勞苦前病再發也蓋諸大病差後精氣未復乃因勞苦再病者是餘邪逆鬱於心胸熱氣欲發而虛煩也仍枳實梔子湯主之覆令微似汗以散鬱熱解胸腹之餘邪矣若有宿食者雖精氣未復不除之則其變非易矣乃加大黃以兼下宿食錢潢曰凡大病新差眞元大虛氣血未復精神倦怠餘熱未盡但宜安

養避風節食淸虛無欲則元氣日長少壯之人豈惟復舊而已哉若不知節養必犯所禁忌而有勞復女勞復食復飲酒復劇諸證矣夫勞復者如多言多慮多怒多哀則勞其神梳洗澡浴早坐早行則勞其力皆可令人重復發熱如死灰之復然爲重復之復故謂之復但勞復之熱乃虛熱之從內發者雖亦從汗解然不比外感之邪可從辛温發散取汗也故以枳實梔子豉湯主之惟女勞復雖爲勞復之一而其見證危險治法迥別多死不救

傷寒差以後更發熱玉函有者字是小柴胡湯主之脈浮者

以汗解之。脈沉實【一作緊】者。以下解之。方

柴胡【八兩】人參【二兩】黄芩【二兩】甘草【二兩炙】生薑【二兩】

半夏【半升洗】大棗【十二枚擘】

右七味。以水一斗二升。煑取六升。去滓。再煎取三升。

溫服一升日三服。

此章言傷寒差後。不因勞苦更發熱者。餘邪半在裏半在外而鬱結於胸脇故也。仍小柴胡湯主之。

然而脈浮者。邪氣專在外而表發。故以發汗解之。

脈沉實者。雖發熱。邪氣專在裏而內實。故以攻下解之。蓋以傷寒餘邪易爲熱。故然矣。此於汗下不

處治方者。主論小柴胡湯故也。今竊按發汗宜柴胡桂枝湯。下之宜大柴胡湯。

大病差後。從腰以下有水氣者。牡蠣澤瀉散主之。方

牡蠣熬　澤瀉　蜀漆燒水洗去腥　葶藶子熬　商陸根熬

海藻洗去鹹　栝樓根各等分

右七味。異擣下篩。為散。更於臼中治之。白飲和服方寸匕。日三服。小便利。止後服。

此對前章而論大病差後陽虛餘邪陷於下焦。膀胱氣不和。小便不利。從腰以下有水氣者。以使明寒熱。各隨其證。乃從腰以下有水氣者。為牡蠣澤

瀉散之所主治。金匱云。腰以下腫。當利小便。即是。

大病差後喜唾。久不了了者。胸上有寒。當以丸藥溫之。唾則胸中否塞。陳畱。而氣稍通自爽也。故喜唾也。寒者。寒飲也。方有執曰。唾。口液也。寒以飲言。不了了。謂無已時也。宜理中丸方。

人參　白朮　甘草炙　乾薑各三兩

右四味。擣篩。蜜和爲丸。如雞子黄許大。以沸湯數合。和一丸。研碎。溫服之。日三服。

此章更明大病差後亡陽餘邪在於中焦。乃胃氣衰不能運化津液。寒飲逆聚于胸上。因喜唾日久不了了者。宜與理中丸。以溫散也。論曰。膈上有寒

飲乾嘔者不可吐也當溫之宜四逆湯卽與此同
意只其病證稍有劇易耳

傷寒解後虛羸少氣氣逆欲吐方有執曰羸病而瘦也少氣謂短氣不足以息濟按氣逆毒氣逆之謂成本欲吐下有者字是竹葉石膏湯主之方

竹葉二把 石膏一斤 半夏半升洗 麥門冬一升去心 人參二兩
甘草二兩炙 粳米半升

右七味以水一斗煮取六升去滓內粳米煮米熟湯成去米溫服一升日三服本草序例云凡云一把者二兩爲正正珍曰外臺引集驗有生薑四兩是當從矣

此承前傷寒差以後更發熱及大病差後喜唾二

章而論之也蓋傷寒差後更發熱者其熱易見矣今傷寒解後虛羸少氣氣逆欲吐者其熱難察而校之于大病差後喜唾久不了者胸上有寒則虛羸少氣氣逆欲吐者是非止寒飲乃解後眞陰枯燥餘熱伏於裏而不表發切迫胃府而動水飲毒氣上逆之所致因爲竹葉石膏湯之所主治矣是所以編次錯綜爲義也又宜念思麥門冬湯汪琥曰傷寒本是熱病熱邪所耗則精液銷鑠元氣虧損故其人必虛羸少氣氣逆欲吐者氣虛不能消飲胸中停畜故上逆而欲作吐也與竹葉石膏

湯。以調胃氣。散熱逆。

病人脉已解。而日暮微煩玉函。有者字。是以病新差。人強與穀。脾胃氣尚弱。不能消穀。故令微煩。損穀則愈。方有執曰。脉已解。邪悉去。而無遺餘也。強與穀。謂強其進食也。損。言當節減之也。此謂調理病餘之要法也。魏荔彤曰。損其穀數。每食一升者。食七合。食五合者。食三合。使脾胃漸壯。穀漸增益。亦節飲食。防病復之一道也。

按凡大病解後。人恐其虛衰。而強進食。或病者。以腹內固有之瘀濁新除。大覺飢渴。而暴欲飲食。是故解後調理最難矣。今病脉悉解。而日暮微煩者。以病新差。強與穀。脾胃氣尚弱。不能消穀。乃遭日暮陽氣收歛。行於內之時。則與食穀未消化之氣相搏故令微煩也不須藥治損穀則穀能消化胃氣復而愈千金云凡熱病新瘥及大病之後食猪肉及羊血肥魚油膩等必當大下利醫所不能治也必至於死若食餅餌粢黍飴哺鱠炙棗栗諸菓物脯修及堅實難消之物胃氣尚虛弱不能消化必更結熱適以藥下之則胃氣虛冷大利難禁不下之必死下之復危皆難救也熱病及大病之後多坐此死不可不愼也又按素問藏氣法時論云毒藥攻邪五穀爲養然而毒藥攻邪若苟不得其適中則必生害焉五穀爲養亦若失其適宜則必

成禍焉是以用藥也必有法度矣養精也必有節量矣故自太陽以下至此篇悉論毒藥攻邪之法度而今此章曰損穀則愈者特是示養精之節量切盡攻邪養精之義於此傷寒之事大備矣乃以結大尾玉函此章下有病後勞復發熱者麥門冬湯主之一章

辨不可發汗病脈證并治第十五有二十九病證

夫以爲疾病至急倉卒尋按要者難得故重集諸可與不可方治比之三陰三陽篇中此易見也又時有不止是三陽三陰出在諸可與不可中也

成無己曰諸不可汗不可下病證藥方前三陰三陽篇中經注已具者更不復出其餘無者於此已後經注備見濟按原本及玉函脈經千金翼諸可與不可方治悉皆載之至成本全書則但出其無三陰三陽篇中者而除其餘是成氏折略之也即如成注所云乃今亦從之其在三陰三陽篇中而加注釋者則皆省略之讀者勿怪其闕

脉濡而弱弱反在關濡反在巔微反在上濇反在下微則陽氣不足濇則無血陽氣反微中風汗出而反躁煩濇則無血厥而且寒陽微發汗躁不得眠巔山頂也

張思聰曰高骨聳然名曰巔也曾氏曰弱反在關者按以候之濡反在巔者舉以候之蓋關猶界限巔猶末也金鑑云上謂寸也下謂尺也濟按不曰尺寸而曰上下者此主關上而及寸尺故也

成無己曰寸關爲陽脉當浮盛弱反在關則裏氣不及濡反在巔則表氣不逮衛行脉外浮爲在上以候衛微反在上是陽氣不足榮行脉中沉爲在下以候榮澀反在下是無血也陽微不能固外腠理開疎風因客之故令汗出而躁煩無血則陰虛不與陽相順接故厥而且寒陽微無津液則不能作汗若發汗則必亡陽而躁經曰汗多亡陽遂虛惡風煩躁不得眠也

動氣在右，不可發汗。發汗則衄而渴，心苦煩，飲即吐水。高子曰：傷寒動氣，乃經脉內虛，心內傷而兼外感也。

成無己曰：動氣者，築築然氣動也。在右者，在臍之右也。難經曰：肺內證臍右有動氣，按之牢若痛。肺氣不治，正氣內虛，氣動於臍之右也。發汗則動肺氣，肺主氣，開竅於鼻，氣虛則不能衛血，血溢妄行，隨氣出於鼻爲衄。亡津液，胃燥則煩渴而心苦煩。肺惡寒，飲冷則傷肺，故飲即吐水。

動氣在左，不可發汗。發汗則頭眩，汗不止，筋惕肉瞤。

成無己曰：難經曰：肝內證臍左有動氣，按之牢若痛肝氣不治正氣內虛氣動於臍之左也肝爲陰之主發汗汗不止則亡陽外虛故頭眩筋惕肉瞤。

鍼經曰上虛則眩。

動氣在上不可發汗發汗則氣上衝正在心端。

成無己曰難經曰心內證臍上有動氣按之牢若痛心氣不治正氣內虛氣動於臍之上也心爲陽發汗亡陽則愈損心氣腎乘心虛欲上凌心故氣上衝正在心端。

動氣在下不可發汗發汗則無汗心中太煩骨節苦疼目運惡寒食則反吐穀不得前。全書運作暈目運謂目前暈旋也。

成無己曰。難經曰。腎內證。臍下有動氣。按之牢若痛。腎氣不治。正氣內虛。動氣發於臍之下也。腎者主水。發汗則無汗者。水不足也。心中太煩者。腎虛不能制心火也。骨節苦疼者。腎主骨也。目暈者。腎病則目䀮䀮如無所見。惡寒者。腎主寒也。食則反吐。穀不得前者。腎水乾也。王冰曰。病嘔而吐。食久反出。是無水也。齊按。難經有脾內證。當齊有動氣按之牢若痛一節。

咽中閉塞。不可發汗。發汗則吐血。氣微絶。手足厥冷。欲得踡卧。不能自溫。成本。微絶。作欲絶。是。
玉函。欲得。作雖欲。

咽中閉塞者邪熱迫上津液爲之乾燥而毒氣塞於咽中也故雖有當發汗之外候不可發汗發汗則氣液亡於外裏陰益涸竭而遂敗血陽氣愈衰不能行乃吐血氣欲絕手足厥冷欲得踡臥不能自溫也論曰咽喉乾燥者不可發汗卽是之類

諸脈得數動微弱者不可發汗發汗則大便難腹中乾。一云小便難胞中乾按玉函作小便反難胞中反乾胃躁而煩成本躁作燥是其形相象根本異源按其形以下八字與上文不相屬意亦不通恐是錯簡脈經此無此八字傷寒有五皆熱病之類也之章下有之乃文義接續而其意甚明矣是也今從之

諸病脈得數動微弱者蓋數者陰虛內熱動者裏

熱盛實微者陽氣微弱者胃氣弱故不可發汗發汗則氣液更亡乃大便難腹中乾胃燥而煩脈濡而弱弱反在關濡反在巔弦反在上微反在下弦爲陽運微爲陰寒上實下虛意欲得溫微弦爲虛不可發汗發汗則寒慄惡寒振慄也不能自還謂不能自同陽也凡病在表可發汗者脈當陰陽俱浮緊而今濡而弱蓋關者陰陽交關以候表裏故弱反在關則裏氣不及巔者關之頂上以專候表故濡反在巔則表氣不逮上者即寸口陽也以候上故弦反在上則表邪滾犯熱氣盛於上而動陽下者即尺中陰

也。以候下。故微反在下。則裏寒盛於下。而傷氣。故弦爲陽運。微爲陰寒。表熱盛爲上實。裏寒傷氣。爲下虚。意欲得溫。此眞寒假熱。故微弦爲虚。乃不可發汗。發汗則亡陽。陰寒益加。寒慄不能自還也。

咳者則劇。數吐涎沫。咽中必乾。小便不利。心中飢煩。晬時而發。其形似瘧。有寒無熱。虚而寒慄。咳而發汗。蜷而苦滿。腹中復堅。

金鑑云。咳者則劇。咳之甚也。數吐涎沫。肺傷液耗矣。故咽乾。小便不利。心中饑煩也。晬時。週時也。謂週時一發。其形似瘧。有寒無熱。中虚而生寒慄也。

若誤以爲形寒之咳。而發其汗。則肺氣旣虛。而衛陽又亡。陽氣兩傷。不能溫及中下。陰氣凝於内外。自踡而苦滿。腹中復堅矣。

厥。脈緊。不可發汗。發汗則聲亂咽嘶。舌萎聲不得前。

玉函厥下有而字。是。脈經萎作痿。下聲作穀。字彙云聲破曰嘶。字典萎字注云。韻會物不鮮也。魏茘彤曰舌萎。即萎不爲用也。聲不得前。本氣少振也。

厥而脈緊者。因寒邪壅遏甚。而熱氣滾陰陽氣不相順接致之。故不可發汗。發汗則氣液亡。毒氣逆迫。而精氣不施。生聲亂咽嘶。舌萎穀不得前之變。論曰。厥應下之。而反發汗。必口傷爛赤。是之類也。

諸逆發汗。病微者難差。劇者言亂。目眩者死。一云。譫言。目眩睛亂者死。濟按。目眩下。略言亂目眩四字也。命將難全。

金鑑云。不當汗而汗。當汗而過汗。皆致逆。故曰諸逆也。發汗致逆之病。病微者難差。病劇者則死。劇者。謂陽脫見鬼。則言亂。陰脫目盲。則目眩也。程應旄曰。諸逆屬少陰。居多陰寒極矣。發汗重奪其陽。雖有微劇不同。皆關於死。明乎陽爲人命之根也。濟按。玉函。此章下。有冬溫發其汗。必吐利。口中爛生瘡一章。脉經。千金翼。亦有之。溫作時字。

咳而小便利。若失小便者。不可發汗。汗出則四肢厥逆冷。脉經冷下有汗出多極發其汗亦堅九字。

咳者。由寒邪在上焦。而肺氣難宣通。發而小便利。

若失小便者。則下焦虛。膀胱不約也。故不可發汗。

汗出則亡陽氣逆而四肢厥冷。

傷寒頭痛。翕翕發熱。形象中風。常微汗出。自嘔者。下之益煩。心懊憹如飢。發汗則致痓。身強難以伸屈。熏之則發黄。不得小便。久則發咳唾。全書心下有中字。伸屈作屈伸。久作灸字。並是。

傷寒頭痛。翕翕發熱者。鬱熱表達。形象中風。常微汗出。自嘔者。是邪氣仍專在於表也。當須發汗。而下之裏虛邪氣入塞心胸熱加益煩心中懊憹如飢今邪熱既滚然而復欲除表邪發汗則徒氣液脫邪熱乘虛徑犯筋脈忽致痙身强難以屈伸若熏之則火熱熏灼津液發黃不得小便灸之則火邪上騰而犯肺氣液不行發咳唾矣脈經此章下有傷寒有五皆熱病之類也其形相象根本異源同病異名同脈異經病雖俱傷於風其人自有痼疾則不得同法其人素傷於風因復傷於熱風熱相薄則發風溫四肢不收頭痛身熱常汗出不解治在少陰厥陰不可發汗汗出譫言獨語內煩燥

擾不得臥，善驚，目亂無精，治之復發其汗，如此者，醫殺之也。按：燥恐躁字之譌。

傷寒濕溫，其人常傷於濕，因而中暍，濕熱相薄，則發濕溫。病苦兩脛逆冷，腹滿叉胸，頭目痛苦，妄言，治在足太陰，不可發汗。汗出必不能言，耳聾，不知痛所在，身青，面色變，名曰重暍。如此者，醫殺之也。右二首，出醫律。二章，玉函亦有此二章，文少異。

辨可發汗病脈證并治第十六　合四十一法，方一十四首。

大法，春夏宜發汗。

金鑑云：春夏陽氣舒暢，故宜發汗，醫治常道。此大法也。

凡發汗，欲令手足俱周，時出似漐漐然，一時間許益佳。不可令如水流離。若病不解，當重發汗。汗多者必亡陽，陽虛不得重發汗也。此與太陽上篇桂枝湯章下所云同，但文辭少異耳。

方有執曰：此丁寧發汗之節度也。張錫駒曰：汗乃津液，汗多則亡津液，何以又謂亡陽也？經曰：上焦開發，腠理薰膚，充身澤毛，若霧露之漑。蓋汗雖津液，必藉陽氣之薰蒸宣發而後出，故汗多亡津液，而陽亦隨之俱亡也。

凡服湯發汗，中病便止，不必盡劑也。脈經湯下有藥字，是。

張思聰曰：諸方湯劑非止一服，故云中病即止，不

必盡劑亦誠愼之意也

凡云可發汗無湯者丸散亦可用要以汗出爲解然不如湯隨證良驗丸散謂發汗之丸散藥也程應旄曰丸散僅可從權隨證則不如湯

金鑑云凡云可發汗無湯者一時倉卒無湯以丸散代之亦可要不過以汗出爲解耳然丸散乃定劑不如湯可隨證而進其驗甚準故曰良也

夫病脈浮大問病者言但便鞕耳設利者爲大逆鞕爲實汗出而解何以故脈浮當以汗解脈經夫作大玉函大逆上有虛字是按夫病恐太陽病之譌大逆是大便之譌

太陽病脈浮大問病者言但便鞕耳設脈浮大而

下利者。内虛虚陽浮越於外。而寒邪進也。故爲虛。今大便鞕者。邪熱實。故爲實也。大便鞕雖爲實。但鞕耳。而無裏證。脉浮大者則未可下之。必汗出而解。何以故。脉浮邪氣尚專在於外。而鬱熱將表發。乃當以發汗解矣。或以利爲攻下之義。非也。

下利後。身疼痛。清便自調者。急當救表。宜桂枝湯發汗。玉函。身下。有體字。

此傷寒醫下之。續得下利章之略言也。解詳見于太陽中篇。

傷寒論繹解卷第八

平安　柳田濟子和　著

辨發汗後病脉證并治第十七　合二十五法。方二十四首。

發汗多，亡陽讝語者，不可下。與柴胡桂枝湯，和其榮衛，以通津液，後自愈。方

柴胡四兩　黃芩一兩半　芍藥一兩半　生薑一兩半　大棗六箇，擘　桂枝一兩半，去皮　人參一兩半　半夏二合半，洗　甘草一兩，炙

右九味，以水六升，煮取三升，去滓，溫服一升，日三服。

成無己曰：胃為水穀之海，津液之主。發汗多，亡津液，胃中燥，必發讝語。此非實熱，則不可下。與柴胡

桂枝湯和其榮衛通行津液津液生則胃潤讝語自止

又曰此一卷第十七篇凡三十一證前有詳說

辨不可吐第十八 合四證

成無己曰合四證已具太陽篇中

辨可吐第十九 合二法五證

大法春宜吐

成無己曰春時陽氣在上邪氣亦在上故宜吐金鑑云汗吐下治病之大法謂春宜於吐者是象天之春氣上升以立法也然凡病有當吐者則吐之

又不可一概而論也。

凡用吐湯。中病便止。不必盡劑也。

金鑑云。凡用吐湯。原以去上焦之邪。中病即止。若病去而過用之。反傷中氣。所以不必盡劑也。

病胸上諸實。（一作寒）胸中鬱鬱而痛。不能食。欲使人按之。而反有涎唾。下利日十餘行。其脈反遲。寸口脈微滑。此可吐之。吐之利則止。

張思聰曰。此言邪實於胸者宜吐。吐之利即止。以明氣機環轉。上下相通之義。病胸上諸實者。言邪實於胸。或寒或食或氣或痰之類也。胸中鬱鬱而痛者。言胸上實。而致胸中鬱痛也。胸實而痛。故不能食。氣機不能從上而下啓。欲使人按之。而反有涎唾也。夫欲按爲虛。涎唾爲實。故曰反也。天氣閉塞。則地氣不升。故下利日十餘行。主胸中實。而下利頻。得生陽鼓動之脈。則氣機旋轉。其病可愈。今其脈反遲。陽氣虛也。寸口之脈遲而微滑。胸上實也。胸上實。故可吐之。吐之則胸膈和。而氣機旋轉。上下相交。故利則止。

宿食在上管者。當吐之。玉函。管。作脘。張思聰曰。胃爲水穀之海。有上脘中脘下脘之分。上主納。中主化。今食在上脘。不得腐化。故爲宿食。當吐之金鑑云。胃有三脘。宿食在上脘者。痛在胸膈。痛則欲吐。可吐。不可下也。在中脘者。痛在心口。痛欲吐。或不吐。可吐。可下也。在下脘者。痛在臍上。痛不欲吐。不可吐。可下也。故曰宿食在上脘者。當吐之。此詳凡在上者。皆可吐也。

病手足逆冷。脈乍結。以客氣在胸中。心下滿而煩。欲食不能食者。病在胸中。當吐之。

此章。載厥利嘔噦病篇。文辭稍異耳。永富獨嘯菴吐方考云。盛夏嚴冬。毒人不爲。少羸弱之人。雖無病。宜謹其修養。況吐下之方。避其時可也。雖然不得已則用之。古曰。病在膈上者吐之。是用吐方之大表也。而其變不可勝數。沉研不久。經事不多。則難得而窮詰。又云。用吐方之時。既吐則須飲白湯。飲則須吐。吐之宜撈吐。撈吐促其間也。連日連夜。虛竭元氣。吐過不止。則進冷粥一杯。飲冷水一盞。亦可也。吐後吐血者。直止其吐可也。吐衄血者。往往有之。雖吐可也。吐鮮血者。可大恐。又云。傷寒吐之不可過二三回。得一快吐則止。用瓜蔕若三分。若五分。其治一逆則急者促命期。緩者爲壞證。中瓜蔕之毒。甚者服麝香三五分。

傷寒論繹解卷第九

平安　柳田濟子和　著

辨不可下病脈證幷治第二十。合四法方六首。

脈濡而弱。弱反在關。濡反在巔。微反在上。濇反在下。微則陽氣不足。濇則無血。陽氣反微。中風汗出而反躁煩。濇則無血。厥而且寒。陽微則不可下。下之則心下痞鞕。

張思聰曰。此下凡六節。章法大義。與不可汗相同。此言胃氣虛而陽微。陰濇者。不可下也。程應旄曰。誤汗亡陽分之陽。誤下亡陰分之陽。無陽則陰獨而地氣得以上居。故心下痞鞕。

動氣在右。不可下。下之則津液內竭。咽燥鼻乾。頭眩心悸也。

程應旄曰。動氣誤下。是爲犯藏左右上下。隨其經氣。而致逆。故禁同汗例。成無己曰。動氣在右。肺之動也。下之傷胃動肺。津液內竭。咽燥鼻乾者。肺屬金主燥也。頭眩心悸者。肺主氣而虛也。

動氣在左。不可下。下之則腹內拘急。食不下。動氣更劇。雖有身熱。臥則欲踡。

成無己曰。動氣在左。肝之動也。下之損脾。而肝氣益勝。復行於脾。故腹内拘急。食不下。動氣更劇也。雖有身熱。以裏氣不足。故臥則欲踡。

動氣在上。不可下。下之則掌握熱煩。身上浮冷。熱汗自泄。欲得水自治。成本治作灌字是

成無己曰。動氣在上。心之動也。下之則傷胃内動心氣。心爲火主熱。鍼經曰。心所生病者。掌中熱。肝爲藏中之陰。病則雖有身熱。臥則欲踡。作表熱裏寒也。心爲藏中之陽。病則身上浮冷。熱汗自泄。欲得水自灌。作表寒裏熱也。二藏陰陽寒熱明可見焉。

動氣在下不可下下之則腹脹滿卒起頭眩食則下清穀心下痞也

成無己曰動氣在下腎之動也下之則傷脾腎氣則動腎寒乘脾故有腹滿頭眩下清穀心下痞之證也

咽中閉塞不可下下之則上輕下重水漿不下臥則欲踡身急痛下利日數十行（玉函身下有體字。下利上有復字。）

咽中閉塞者邪熱迫上毒氣塞於咽中也此病在上故不可下下之則上毒減膈氣通而上輕胃氣因誤下傷損陽氣下陷陰氣凝滯乃致下重水漿

不下。臥則欲踡。身體急痛。復下利。日數十行。

諸外實者。不可下。下之則發微熱。亡脈厥者。當齊握熱。亡脈。猶無脈也。脈經齊握作臍發。

諸病外實者。邪熱盛實於外也。此當發汗。乃不可下。若反下之。則胃氣虛損。邪熱內陷。而外發微熱。亡脈厥者。熱氣伏結於下焦。而血脈不宜通也。故當臍一握熱也。

諸虛者。不可下。下之則大渴。求水者易愈。惡水者劇。

諸病虛者。內外之精氣奪也。乃雖有當下之候。不可下。下之則內竭津液。故令大渴。求水者。陽氣未

竭猶易愈惡水者陽氣既脫陽氣脫者則難可制故爲劇矣

脉濡而弱弱反在關濡反在巔弦反在上微反在下弦爲陽運微爲陰寒上實下虚意欲得溫微弦爲虚虚者不可下也

張思聽曰此節與不可汗章辭同義合言胃氣虚寒者不可下也成氏曰虚家下之是爲重虚難經曰實實虚虚損不足益有餘此者是中工所害也

微則爲咳咳則吐涎下之則咳止而利因不休利不休則胸中如蟲齧粥入則出小便不利兩脇拘急喘

息爲難。頭背相引。臂則不仁。極寒反汗出。身冷若冰。眼睛不慧。語言不休。而穀氣多入。此爲除中。亦云消中口雖欲言。舌不得前。微則上。疑脫脈字。玉函。涎下有沫字。

金鑑云。陽盛爲痰。陽虛爲飲。咳而脈微。爲陽虛之咳。故咳則吐涎飲也。若脈實下之可也。今脈微下之。寒虛更甚。故咳雖止。而利因不休也。胸中如蟲嚙。是胃寒蟲動。故粥入則出也。下利上吐。中寒也。小便不利。停飲也。兩脇拘急。喘息爲難。頭背相引。臂則不仁。此皆中外寒飲之證。比之少陰停飲。此無身痛。彼無頭背相引。臂則不仁也。若極寒而甚。

則反汗出。身冷如冰。目睛不慧。語言不休而死也。以如是之證。而穀氣多入。此爲除中。口雖欲言。舌短難伸亦死也。

脈濡而弱。弱反在關。濡反在巔。浮反在上。數反在下。浮爲陽虛。數爲無血。浮爲虛。數生熱。浮爲虛。自汗出而惡寒。數爲痛。振而寒慄。微弱在關。胸下爲急。喘汗而不得呼吸。呼吸之中。痛在於脇。振寒相搏。形如瘧狀。醫反下之。故令脈數。發熱狂走見鬼。心下爲痞。小便淋漓。少腹甚鞕。小便則尿血也。成本。生熱。作爲熱。淋漓。作淋瀝。

成無己曰。弱在關。則陰氣內弱。濡在巔。則陽氣外

弱。浮為虛。浮在上。則衛不足也。故云陽虛。陽虛不
固。故腠理汗出惡寒。數亦為虛。數在下。則榮不及
故云亡血。亡血則不能溫潤府藏。脈數而痛。振而
寒慄。微弱在關。邪氣傳裏也。裏虛遇邪。胸下為急。
喘而汗出。脇下引痛。振寒如瘧。此裏邪未實。表邪
未解。醫反下之。裏氣益虛。邪熱內陷。故脈數發熱
狂走見鬼。心下為痞。此熱陷於中焦者也。若熱氣
淩陷。則客於下焦。使小便淋瀝。小腹甚鞕。小便尿
血也。魏荔彤曰。前虛寒之忌下易知。此虛而兼熱
之忌下難知。故兩條相映。互言以示禁也。

脈濡而緊。濡則衛氣微。緊則榮中寒。陽微衛中風。發熱而惡寒。榮緊胃氣冷。微嘔心內煩。醫謂有大熱。解肌而發汗。亡陽虛煩躁。心下苦痞堅。表裏俱虛竭。卒起而頭眩。客熱在皮膚。悵快不得眠。不知胃氣冷。緊寒在關元。技巧無所施。汲水灌其身。客熱應時罷。慄慄而振寒。重被而覆之。汗出而冒巔。體惕而又振。小便爲微難。寒氣因水發。清穀不容間。嘔變反腸出。顛倒不得安。手足爲微逆。身冷而內煩。遲欲從後救。安可復追還。全書醫謂作醫爲。玉函嘔變作嘔吐。近是。體惕。筋惕之甚也。字彙悵字注云。惆悵。失志望恨貌。快。情不滿足也。技。方術也。巧。拙之反也。好也。張錫駒曰。汗出而冒巔者。汗出則陽氣外亡。頭昏

冐而目不明故曰冐巔小便爲微難陽亡而氣不施化也清穀不容間下利清穀無間隙之時也嘔變者嘔出之味變也腸出者下利而廣腸脫出也

成無己曰胃冷榮寒陽微中風發熱惡寒微嘔心煩醫不溫胃反爲有熱解肌發汗則表虛亡陽煩躁心下痞堅先裏不足發汗又虛其表表裏俱虛竭卒起頭眩客熱在表悵怏不得眠醫不救裏但責表熱汲水灌洗以卻熱客熱易罷裏寒益增慄而振寒復以重被覆之表虛遂汗出愈使陽氣虛也巔頂也巔冐而體振寒小便難者亡陽也寒因水發下爲清穀上爲嘔吐外有厥逆內爲躁煩顛

倒不安雖欲拯救不可得也本草曰病勢已過命將難全張卿子曰除脈濡而緊四字爲題自是一首漢人古詩爲清凉解利之戒孫思邈所謂傷寒于大毒諸寒藥者比比也

脈浮而大浮爲氣實大爲血虛血虛爲無陰孤陽獨下陰部者小便當赤而難胞中當虛今反小便利而大汗出法應衛家當微今反更實津液四射榮竭血盡乾煩而不眠血薄肉消而成暴（一云黑）液醫復以毒藥攻其胃此爲重虛客陽去有期必下如汙泥而死

金鑑云血虛甚則亡陰陰亡則陽無偶也故曰孤陽字彙云射射弓也出也脈經法下無應字乾煩而作

虛煩二字。醫復以毒藥，作醫以藥三字。成本不眠，作不得眠。汗泥，作汙涅。

成無己曰。衛爲陽。榮爲陰。衛氣強實。陰血虛弱。陽乘陰虛。下至陰部。陰部。下焦也。陽爲熱。則消津液。當小便赤而難。今反小便利而大汗出者。陰氣內弱也。經曰。陰弱者。汗自出。是以衛家不微而反更實。榮竭血盡。乾煩而不眠。血薄則肉消而成暴液者。津液四射也。醫反下之。又虛其裏。是爲重虛。孤陽因下而又脫去。氣血皆竭。胃氣內盡。必下如汙泥而死也。

脈數者。久數不止。止則邪結。正氣不能復。正氣卻結於藏。故邪氣浮之。與皮毛相得。脈數者。不可下。下之必煩利不止。成本。下之下有則字。

成無己曰。數爲熱。止則邪氣結於經絡之間。正氣不能復行於表。則卻結於藏。邪氣獨浮於皮毛。下之虛其裏。邪熱乘虛而入。裏虛叶熱。必煩利不止。

脈浮大。應發汗。醫反下之。此爲大逆也。

程應旄曰。脈浮大與脈浮而大。差別盛實純在表也。雖有裏證。仍宜從表發汗。下之則爲大逆。

病欲吐者。不可下。玉函。有之字。是

病欲吐者。邪在於上焦。而未熱實於胃家。故不可下之。又按。成本。不可下句下。有嘔多雖有陽明證。不可攻之十一字。是卽傷寒嘔多。雖有陽明證。不可攻之章之混合也。

太陽病。有外證未解。不可下。下之爲逆。成本。無有字。是

成無己曰。表未解者。雖有裏證。亦不可下。當先解外爲順。若反下之。則爲逆也。經曰。本發汗而反下之。此爲逆也。若先發汗。治不爲逆。程應旄曰。未解較不解稍異。勢雖欲下。仍須俟之。

夫病陽多者熱。下之則鞕。按鞕字上。脫大便二字也。

夫病陽多者。表熱甚。而消裏陰。因致虛燥。故下之

則陰益耗。大便鞕。此所謂陽結。其脈浮而數能食不大便者。而非胃家熱實。故不可下也。

無陽陰强。大便鞕者。下之必清穀腹滿。無陽謂元陽虛衰也。方有執曰。陰以寒言。强猶言多也。成本。必上有則字。

此接前章而言。故單曰無陽陰强。蓋無陽則陰獨强盛而裏寒甚。乃陰氣凝結。不能行。因大便反鞕。此所謂陰結。其脈沉而遲。不能食身體重。大便反鞕者。而非熱結。故下之則胃氣忽傷損。不能化穀陰氣益凝滯。必致清穀腹滿。

傷寒。發熱頭痛。微汗出。發汗則不識人。熏之則喘不

得小便心腹滿下之則短氣小便難頭痛背强加溫鍼則衄（脈經衄上有必字）

傷寒發熱頭痛無汗者當發汗今微汗出者邪熱滲於裏而兼表虛故不可發汗發汗則徒氣液亡而裏熱增劇心神昏冒不識人若熏之則邪火升津液升蒸致喘不得小便心腹滿若下之則裏虛外邪益滲犯而衝逆致短氣小便難頭痛背强若加溫鍼則火熱動血脈逆迫而必致衄血

傷寒脈陰陽俱緊惡寒發熱則脈欲厥厥者脈初來大漸漸小更來漸大是其候也（成本作漸漸大是厥者以下明厥脈狀也）

如此者惡寒甚者。者字上略惡寒甚三字。翕翕汗出。喉中痛。若熱多者。目赤脈多。睛不慧。醫復發之。咽中則傷。若復下之。則兩目閉。寒多便清穀。熱多便膿血。若熏之。則身發黄。若熨之。則咽燥。若小便利者。可救之。若小便難者。爲危殆。殆。危也。迫也。張璐玉曰。脈初來大者。爲邪氣鼓動。漸漸小。爲正氣受傷。更來漸漸大。爲邪氣復進也。蓋因其人正氣本虛。不能主持隨邪氣進退。故其脈亦隨邪氣進退。忽大忽小也。

傷寒。脈陰陽俱緊。惡寒發熱者。寒邪凝劇也。則脈欲厥。是脈氣爲邪壅。不利也。厥者。脈初來大。漸漸小。更來漸漸大。是其候也。如此者惡寒甚。惡寒甚者。鬱熱亦甚。而遂表發。翕翕汗出。津液乾燥。毒氣犯喉中生痛。若鬱熱多者。熱氣上衝。而動血脈。乃目中赤脈多出。睛不慧。醫唯見表證。誤復發之。氣液更亡。咽中則傷。若唯見裏證。復下之。則裏虛。外邪內陷。壅遏甚。而精氣不注目。致兩目閉。寒多因下。胃氣傷損。續下利便清穀。熱多血液爲熱腐敗。便膿血。若唯見惡寒甚。熏之。則火熱熏灼津液。身發黃。若熨之。則津液亡。而咽中燥。若小便利者。雖病劇。津液乾燥不甚。而氣液融和。故猶可救療之。若小便難通者。津液涸竭。而氣不宜通。故爲危殆。

傷寒發熱。口中勃勃氣出。勃卒也。勃勃氣出。謂氣息卒賁出也。頭痛目黃。𦈢不可制。言𦈢甚也。貪水者必嘔。水與熱相搏故也。惡水者厥。裏寒多故也。若下之咽中生瘡假令手足溫者必下重便膿血頭痛目黃者若下之則目閉。成本目上有兩字氣液傷乾濇故也。貪水者。若下之其脈必厥。其聲嚶。說文云嚶鳥鳴也。咽喉塞。若發汗則戰慄。寒戰振慄也。陰陽俱虛惡水者。若下之則裏冷不嗜食大便完穀出。完全也。言食穀不消化而下出也。若發汗則口中傷舌上白胎。煩躁脈數實不大便六七日後必便血。若發汗則小便自利也。

成無己曰。傷寒發熱寒變熱也。口中勃勃氣出。熱客上膈也。頭痛目黃。𦈢不可制者熱烝於上也。千金曰。無陽卽厥。無陰卽嘔。貪水者。必嘔則陰虛也。惡水者。厥則陽虛也。發熱口中勃勃氣出者。咽中已熱也。若下之亡津液。則咽中生瘡。熱因裏虛而下。若熱氣內結。則手足必厥。設手足溫者。熱氣不結而下行。作叶熱利。下重便膿血也。頭痛目黃者。下之熱氣內伏。則目閉也。貪水爲陰虛。下之又虛其裏。陽氣內陷。故脈厥。聲嚶。咽喉閉塞。陰虛發汗又虛其陽。使陰陽俱虛。而戰慄也。惡水爲陽虛。下之又虛胃氣。虛寒內甚。故裏冷不嗜食。陽虛發汗。則上焦虛燥。故口中傷爛。舌上白胎。而煩躁也。經曰。脈數不解。合熱則消穀喜饑。至六七日。不大便者。此有瘀血。此脈數實。不大便六七日。熱畜血於內也。七日之後。邪熱漸解。迫血下行。必便血也。便血發汗。陰陽俱虛。故小便利。

下利脈大者。虛也。以強下之故也。設脈浮革。因爾腸鳴者。屬當歸四逆湯。方曰屬者止此耳脈經屬作宜是

當歸三兩　桂枝三兩去皮　細辛三兩　甘草二兩炙　通草二兩

芍藥三兩　大棗二十五枚擘一法十二枚此是

右七味。以水八升。煮取三升。去滓。溫服一升半。日三服。厥利嘔噦病篇無半字是

金鑑云。下利脈大。裏虛也。以其不當下而强下之故也。設脈浮華者。謂脈浮大按之空虛。表急裏虛。因爾腸鳴。屬當歸四逆湯。和其表而溫其裏也。

辨可下病脈證幷治第二十一。合四十四法。方一十一首。

大法秋宜下。

金鑑云。天至秋則氣降。物至秋則成實。實則宜下之。凡邪在下者。俱宜取法乎此義也。

凡可下者。用湯勝丸。散中病便止。不必盡劑也。

金鑑云。湯者盪也。丸者緩也。下藥貴速。故凡服下藥。用湯所以勝丸也。中病卽止。不必盡劑者。恐盡劑反傷其正氣也。

下利脈遲而滑者。內實也。按脈遲爲虛寒。然兼滑者。非虛寒。此邪熱內實。氣壅脈行不速也。故曰脈遲而滑也。凡脈義者。因其所兼自有異矣。不可必一途取也。利未欲止。當下之。宜大承氣湯。

此章載金匱嘔吐噦下利病篇。蓋虛寒下利者。則脈當遲微弱。今脈遲而滑者。邪熱內實。而胃氣不和。但停水汚濁下泄。乃利未欲止也。當下之。宜大承氣湯。服湯內實除。則胃氣和。利自止矣。

問曰。人病有宿食。何以別之。師曰。寸口脈浮而大。按之反濇。尺中亦微而濇。故知有宿食。當下之。宜大承氣湯。

成無己曰。寸以候外。尺以候內。浮以候表。沉以候裏。寸口脈浮大者。氣實血虛也。按之反澀。尺中亦微而澀者。胃有宿食。裏氣不和也。與大承氣湯。以下宿食。王三陽云。尺澀亦有血虛者。須審外證惡食氣否。及胸膈飽悶否。方是。

下利不欲食者。以有宿食故也。當下之。宜大承氣湯。

右二章。載金匱宿食病篇。金鑑云。初下利不欲食者。是傷食惡食。故不欲食也。若久下利。不欲食者。是傷脾。食後飽脹。不欲食也。今初下利即不欲食故知有宿食也。當下之。宜大承氣湯。無疑也。王三陽云。亦有熱在胃口。不能食者。不宜下。

下利差。至其年月日時復發者。以病不盡故也。當下之。宜大承氣湯。成本。差下。有後字。無時字。方有執曰。其期也。謂周其一年之月日期也。

此章載金匱下利病篇。程應旄曰。下利差後。而餘邪之棲於腸胃迴折處者未盡。是爲伏邪。凡得其候而伏者。仍應其候而伸。下則搜而盡之矣。

病腹中滿痛者。此爲實也。當下之。宜大承氣大柴胡湯。玉函。無大承氣三字。全書。無大柴胡三字。此章。在下利脈反滑章後。是。張璐玉曰。腹中既滿且痛。爲實結無疑。急須下之。

金鑑云。腹中不滿而痛者。病或屬虛。若滿而痛則爲實矣。當下之。宜大承氣湯。

下利脈反滑。當有所去。下乃愈。宜大承氣湯。

此亦載金匱下利病篇。下利脈當微弱。今反滑者。邪熱內實。當有所去也。下之愈。宜大承氣湯。

傷寒後。脈沉。沉者。內實也。下之解。宜大柴胡湯。玉函作脈沉實。沉實者。下之解。脈經作爲內實。

傷寒後脈沉實者。餘邪實於內也。下之解。宜大柴胡湯。此傷寒差以後更發熱章之義。宜併見。

脈雙弦而遲者。必心下鞕。脈大而緊者。陽中有陰也。

可下之。宜大承氣湯。張思聽曰。脈雙弦者。兩手之脈狀。如弓弦。遲者。一息三至。

金匱云。脈雙弦者寒也。此脈雙弦而遲者。寒邪壅遏熱氣。結於裏而不能表發。故必心下鞕。脈大而緊者。寒邪淩犯。與裏熱相搏。而致內實。熱氣盛溢於外。故爲陽中有陰也。可以下之。宜大承氣湯。活人書云。傷寒裏證。須看熱氣淺深。故仲景有直下之者。如大小承氣十棗大柴胡湯是也。有微和其胃氣者。如調胃承氣湯脾約丸少與小承氣微和之之類是也。

傷寒論繹解卷第十

平安　柳田濟子和　著

辨發汗吐下後病脈證并治第二十二。合四十八法。方三十九首。

夫病陽多者熱。下之則鞕。汗多。極發其汗亦鞕。

此章。至下之則鞕。已見不可下病篇。今承其義。更明發熱汗多。極發其汗。津液越出。胃中燥。亦致大便鞕也。玉函。此篇內。有趺陽脈微弦而如此爲強下之一章。

成無己曰。此第十卷。第二十二篇。凡四十八證。前三陰三陽篇中。悉具載之。成本。此第作此篇。

按玉函。脈經。千金翼。此篇後有可溫。不可火。可火。不可灸。可灸。不可刺。可刺。不可水。可水。病形證治之諸篇。

傷寒論繹解卷第十　大尾

嘉永六年癸丑六月

江戸書林　須原屋茂兵衛
　　　　　岡田屋嘉七
　　　　　山城屋佐兵衛
大阪書林　河内屋喜兵衛
京都書林　菊　屋安兵衛
　　　　　出雲寺文治郎發行